シークレット

SECRET

Yukito Ayatsuji's Mystery Dialogues in Kyoto

綾辻行人ミステリ対談集in京都

織守きょうや
一 肇
前川 裕
白井智之
初野 晴
道尾秀介
辻村深月
葉真中 顕
宮内悠介
詠坂雄二

光文社

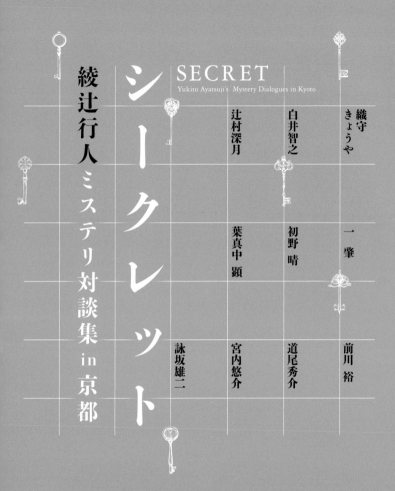

シークレット

綾辻行人ミステリ対談集in京都

SECRET

Yukito Ayatsuji's Mystery Dialogues in Kyoto

まえがき

本書『シークレット　綾辻行人《あやつじゆきと》ミステリ対談集in京都』は、二〇一四年から二〇一九年にかけてミステリ専門誌「ジャーロ」誌上で不定期連載した「京都対談」を一冊にまとめたものである。

そもそも「京都対談」とは――。

僕こと綾辻行人がホスト役となって、ご縁があるミステリ作家を綾辻の本拠地である京都にお招きして、美味《おい》しいものでも食べながらゆっくりとミステリの話をしよう。

といった趣旨の企画だった。補足すると、「ご縁がある」とは、「デビューにさいして綾辻が何らかの形でお手伝いをした、あるいはそれに準じるような役割を果たした」ということ。「ミステリ作家」には「ミステリも書く」タイプの作家も含まれる。

「京都対談」とはいっても、「京都」はあくまで対談の「場」であって、「テーマ」ではなかった。――のだが、一方で「京都」は、本邦のミステリ史においてちょっとした意味を持つ街でもある。一九五二年の結成以来、現在まで活動が続くミステリファンクラブ「SRの会」の発祥の地であったり、かつて西村京《にしむらきよう》太郎《たろう》さんと山村《やまむら》美紗《みさ》さんの有名なお住まいがあって数々の伝説が生まれた時期があったり、いわゆる「新本格ムーヴメント」の始まりに大きく寄与した京都大学推理小説《ミステリ》研究会があったり……と。京大ミステリ研出身の「新本格」初期の作家たちは、綾辻のほか法月《のりづき》綸《りん》太郎《たろう》・我孫子《あびこ》武丸《たけまる》・麻耶《まや》雄嵩《ゆたか》の三氏も、今なお京都に住みつづけ、書きつづけている。

そんなわけなので、書籍化にあたってもタイトルは『京都対談』で良かろう、という話もあったのだが、何だかそれも芸がない気がした。何かもっとふさわしい言葉はないものかと思案した結果、『シークレット』というこのメインタイトルに落ち着いた次第である。

作家（小説家）にはそれぞれ、その作家だけの創作の秘密がある。

こう書くと何やらもっともらしい感じがするけれど、当事者としてはまず「何を大袈裟《おおげさ》な」と思ってしまう。「創作の秘密」って、そんなものはなかば幻想だろうという気がするわけだが……いやしかし、「秘密」とまではいかないまでも、十人の作家がいれば十人それぞれに、その作家独自の何かがあることは確かだろうとも思う。

たとえば同じ「本格ミステリ」ジャンルの作家を比べてみても——もっと具体的に、たとえば有栖川有栖《ありすがわありす》さんと綾辻行人を比べてみたとしても、二人には共通点も多いが数々の差異もある。「本格」の基本的な捉え方は同じでも、こだわりどころが違ったりアプローチの角度が違ったり。書くペースはもちろん違うし（うっ……）、書き方もずいぶん違う。トリックの発想法、プロットの立て方、文章のスタイル……どれも違う。当たり前といえば当たり前の話だが、そういうものなのである。

作家という仕事には、「こうであればＯＫ」「こうやればＯＫ」というふうな公式や定式、ノウハウがない。少なくとも僕はそう思う。世には「小説の書き方」「ミステリの書き方」的な指南書も出まわっているが、ある程度まではそれを頼りに書けたとしても、そこから先には「正解」などない。書き手それぞれが自分の「あり方」や「やり方」を自力で見つけていくしかないのだから、そのような意味ではやはり、作家にはそれぞれに「秘密」がある——と云《い》っていいのかもしれない。

さて、本書には十人のミステリ作家と綾辻の対談が収録されている。詠坂雄二《よみさかゆうじ》さんから始まって、宮内悠介《みやうちゆうすけ》さん、初野晴《はつのせい》さん、一肇《にのまえはじめ》さん、葉真中顕《はまなかあき》さん、前川裕《まえかわゆたか》さん、白井智之《しらいともゆき》さん、織守《おりがみ》きょうやさん、道尾《みちお》秀介《しゅうすけ》さん、そして辻村深月《つじむらみづき》さん。

これらを通じて、作家たちのさまざまな「秘密」(「創作の秘密」に限らず——)が見えてくることだろう。そこから、対談では語られていない、さらなるそれぞれの「秘密」にまで想いを巡らしていただくのも楽しいかと思う。

Contents

特記されていない情報は
二〇二〇年八月現在のものです。
登場する書籍の版元・レーベルは、
現在入手しやすいものを
編集部の判断で記しました。

綾辻行人がホスト役を
買ってでた〝不定期対談企画〟が、
このたび光文社のミステリ専門誌
「ジャーロ」を舞台に始動！
新進気鋭の作家を地元京都に招いて
創作論を戦わせ、熱いエールを送り、
悩み相談も引き受ける――
と聞いていたが、ホスト役の目的は
自分の若返りにもあるようで……。

綾辻行人 × 詠坂雄二

Ayatsuji Yukito　Yomisaka Yuji

†

綾辻　詠坂さんとお会いするのは二度目、七年ぶりくらいになりますね。僕もこの業界ではずいぶんキャリアが長くなって、相応に歳《とし》も取って少々くたびれてきているものだから、ここは若手の作家といろいろお話をして脳を活性化させたいなと。そんな考えもあっての、この対談企画のスタートなんですが、第一回はぜひ詠坂雄二を召喚したくてね。ここ数年、最も注目しているミステリ作家の一人なので。

最新刊の話から伺いましょうか。昨年（二〇一三年）十二月に『亡霊ふたり』を上梓《じょうし》されたばかりですね。さっそく読みましたよ。

詠坂　ありがとうございます。

綾辻　素直にひと言、面白かったです。ページをめくる手が止まらなかった。この作品単体でも充分に面白いんだけれども、初期の二長編（『リロ・グラ・シスタ』『遠海《とおみ》事件』）を読んでいたら三倍くらい美味しいよね。

詠坂　設定を使い回しすぎだろう、という思いもあります。

綾辻　そう？　冒頭に「吏塚《りづか》高校」の名が出てきたりして、おお、おなじみの遠海市界隈《かいわい》を舞台にした〈詠坂小説〉だなあと思って読み進めていったら、「おや。今回は〈日常の謎〉の連作なのか」と意表をつかれました。

詠坂　版元が東京創元社なので（笑）。でも力足らずで、このざまです。中盤までは本当に〈日常の謎〉の連作で押しきって面白いものにしようと思っていました。けれど、なかなか良いアイディアが出てこなくって断念したんです。

綾辻　「このざま」はないでしょう（笑）。『亡霊ふたり』はこれまでの詠坂作品の中ではいちばん、読者を先へ先へと引っ張っていく力があると思う。成功作ですよ。
　デビュー作の『リロ・グラ・シスタ』を最初に原稿で読んだときは、なかなかテンポ良く読み進められなくて。設定だの登場人物だのがいちいち鼻についてしまったこともあって、途中までは僕、怒ってたのね（苦笑）。「マイナス百二十点！」みたいな感じで。ところが最後の最後で、それまでのマイナスがすべてプラスに転化してしまった。思わず、「ごめん。オレが悪かった」と原稿に対して謝ったのを憶《おぼ》えていますが。その点、『亡霊ふたり』はとっつきも良くてリーダビリティも高くて、道行きがとても楽しい小説になっていますね。読者が広がるんじゃないかな。

主人公がアマチュアボクサーで試合の場面も出てくるけど、こういうアクションを書くの、巧《うま》いよねえ。『インサート・コイン（ズ）』の中にも格闘家の話があったでしょ。そっち方面も好きなんですね。

詠坂　夢枕獏《ゆめまくらばく》さんが好きなんです。文体はまったく違いますが。

綾辻　格闘技は実際に何かやってたんですか。

詠坂　いえ、ゲームで学びました。

綾辻　ほう、なるほど（笑）。しかし、ここまでらしく書けるのは強みですね。

デビューに至る長き助走

詠坂　この機会に言っておかないといけないのは、『リロ・グラ・シスタ』の物理トリックの部分が綾辻さんの『殺人方程式』の冴《さ》えない

模倣《デッド・コピー》であることで……。

綾辻　えっ、『殺人方程式』の影響があったの？

詠坂　ええ、まあ。

綾辻　あれは光文社カッパ・ノベルスの仕事で、執筆依頼を受けたのが一九八八年。当時のカッパのS編集長から物理トリックの話を書けと命じられてね。実は僕、苦手なんですよ、物理トリックは。なのに、S編集長は「叙述トリックは駄目。目に見えるドカーンとしたトリックでいこうよね」と、有無を言わさない勢いで……。

（一同爆笑）

いやいや、これは正確に再現しているんですよ。『館《やかた》』シリーズなんてマニアックなもの書いててもそんなに売れないよ。やっぱり主人公は刑事で、列車に乗って旅行もさせて、ドカーンと大きなトリックがあるのを書こうよ」と。僕もまだ新人だったから、その場で「はい」と即答せざるをえなかったの。

詠坂　でも作品を見たら、そういう苦しさの影は全然ないですよ。

綾辻　うう、ありがとう。まあ、確かにそれで『殺人方程式』はよく売れたんだけどね。あの作品が『リログラ』の成立に役立ったのかと思うと嬉《うれ》しいです。対談に備えて『リログラ』は先日、読み返してきたんだけど（と、持参した『リロ・グラ・シスタ』の初刊カッパ・ノベルス版を指さす）、『殺人方程式』なんかよりも遥《はる》かにこっちのほうがよく出来てるよ。

詠坂　どうせなら、文庫版で読み直してほしかったです（と、ぼやく）。

綾辻　文庫化にあたってけっこう手を入れたんですか。

詠坂　文章とか、自分で読み返して分からなかったりしましたから……。

綾辻　そういえば、『リログラ』に寄せた僕の推薦文《コメント》について、「これを読むとネタの見当がついてしまう」という声があったようですね。もしも本当にそうだったのなら、申しわけなかったなと。手練《てだ》れの読者の少数意見だとは思いますが。

詠坂　いえ、あのコメントがないと、読んでほしい読者に届かなかったと思います。なかったら誰も手に取らないです。

綾辻　ともあれ、『リログラ』は今でも僕、大好きな作品です。難癖をつける人もいるみたいだけれど、ちゃんと読めていないと思うね。すんなり意味が取れない文章もあってちょっと読みにくいのは確かだけど、そのぶん実に濃密です。ただ、初刊のノベルス版は文字のインクが何色もあって、それでよけいに読みにくかった(笑)。どうしてあんなふうにしたんですか。

詠坂　それは編集の人が……。

編集部　もともと応募原稿が四色のカラー用紙に印刷されていたんです。それがあまりに特徴的だったので何とか活《い》かせないかと思って。本当はカラーの紙を使いたかったんですが、インクを変えるのだけが予算的に許される範囲だった。とにかく、変な才能の作家がデビューしたんだというのを示したかったんです。応募時のペンネームは「昏稀明日《くらきあした》」だったんですが……。

綾辻　ああそうだ、昏稀明日(笑)。ここからちょっと、さらに時間を遡《さかのぼ》りましょうか。実は僕は、『リログラ』より前に詠坂さんの原稿を一本、読んでたんだよね。講談社のメフィスト賞にずっと応募していましたね?

詠坂　二十歳《はたち》のころから二十三回連続で。最初は「IRONIC《アイロニック》 BOMBER《ボマー》」名義で、途中から「昏稀明日」に変えたんです。応募作にはミステリも異世界ファンタジーもありました。とにかく、思いついたことを全部書いていたんです。

綾辻　二十三回連続！　書かずにはいられなかったんですね。

詠坂　自分が思いついた話は自分で書かないと形にならないですから。誰か代わりに書いてくれればいいんですけど。

綾辻　その応募原稿も毎回、カラー用紙で？

詠坂　そうです。目立つため、四色の用紙で。どこのホームセンターに行っても、白い用紙の横に並べて売られているはずですよ。サイズが同じで色がついているものがあったら、色つきのほうを自分は買います（きっぱり）。

綾辻　メフィスト賞は、作品のキャッチコピーまで応募者につけさせるという新人賞だから、「受けて立とう」という感じだったのね。「オレを憶えろ、認めろ」とアイロニック・ボマーが爆弾を投げつづけていたわけだ。

詠坂　不発弾ばかりでしたけれど（と、下を向く）。

綾辻　そのころの逸話なんですが。当時の講談社ノベルスのK部長から、『オールアローン』というメフィスト賞の応募原稿を読んでくれと頼まれたんです。引きこもりの主人公が、すごく難解なアドヴェンチャーゲームに挑む話で……。

詠坂　ああ、その作品の話をするのはきっと良くないですよ！（と、頭を抱える）

綾辻　（構わずに続けて）全体的には退屈でイマイチな印象だったんだけれども、最後に明かされるメイントリックはとても良いと思った。でも同時に、「このネタだったら、自分ならもっと面白く書けるのに」とも思ったんです。そんなふうに感じてしまうと、どうしても僕の場合、ネガティヴな評価になりがちで。それでも気になるから、「この作者は何のために書いているのかな。どんな小説を書いていきたいんだろう?」とK部長に尋ねてみたのね。すると返ってきた答えが、「本人は『別に目標はない。書きたいものも別にない』と言うんですよね」。それを聞いて僕はちょっとムッとして、「じゃあ、書かなきゃいいじゃない」と突き放しちゃった。あれって、いつごろの話でしたっけ?

詠坂　『オールアローン』を書いたのは二十四、五のときなので、十年くらい前だと思います。

綾辻　ところが、アイロニック・ボマー改め昏稀明日はその後も毎回メフィスト賞に新しい作品を投じつづけた。二〇〇六年に「メフィスト」が一時休刊になったから、投じる先を光文社の〈カッパ・ワン〉に変更したわけですね。

詠坂　そうですね。

綾辻　縁があって『リログラ』の原稿を読むことになって、『オールアローン』と同じ作者だと知って、「こいつ、まだ書いてるじゃん。別に書きたいものはないなんて、嘘《うそ》つくなよな」と(笑)。

編集部　詠坂さんに『リロ・グラ・シスタ』でデビューしてもらうことになったとき、それまでの経緯もあったので、講談社のKさんに仁義を通したところ、「ありがとう! よろしく頼む」って言われました(笑)。

綾辻　彼もずっと気になっていたんだねえ。二十三回連続応募なんて、他にいなかっただろ

うし。その情熱はもちろん、どこかで才能も認めていたから、詠坂さんには何とか世に出てほしかったんでしょう。

詠坂　おかしいんですよ。「メフィスト」が休刊になって光文社に原稿を送ったら、一本目で即デビューですから。「今までの二十三本は何だったんだ！　音羽《おとわ》通りを渡ったら何か変わるのか」と（※講談社と光文社は音羽通りを挟んで斜《はす》向かいに位置する）。

編集部　初めて光文社に来てもらったとき、いきなり「出さないほうがいいっすよ。つまらないから」って言われましたね（笑）。

詠坂　出版されるとなったら、自分でも読み返すじゃないですか。すると前半が特にひどかったんです。それですっかり嫌になってしまって……。

綾辻　しかし僕は、『オールアローン』から数年を経て『リログラ』を読んで、明らかに腕が上がって面白くなっていると確信した。よくここまで頑張ったなあと。それで絶賛のコメントを書いちゃったわけだからね、自信を持ってください。僕はね、興味がないものやつまらないとしか思えないものには、たとえ仕事であろうとまったく反応できない人間なので。

あのときの〝絶賛〟が正しかったことを、その後の作品で次々に証明してくれているのは嬉しいし、頼もしいですね。『リログラ』を読了したときは、これは自分には書けない、と思ったんだよね。『遠海事件』も『電氣人間の虞《おそれ》』も『インサート・コイン（ズ）』もね、自分が書けばもっと面白くなるとはもう思えない。全部が見事な詠坂流に仕上がっています。

詠坂　毎度、読んでいて楽しいものを書いているつもりなんです。実をいえば、先輩のミステリ作家の皆さんは恰好《かっこう》つけすぎなんじゃないかと思っていて。自分は恰好悪くいこうと。

綾辻　恰好つけすぎ、とは？

詠坂　自分にとって感情移入できる連中を書きたいということなんです。探偵役にしても犯人役にしても、自分が感情移入できる人間が出てくる話を読みたかったもので。

綾辻　それって端的にいえば、登場人物が駒として扱われていてキャラが立っていないといいう？

詠坂　いいえ。キャラが立っていない、ということでは全然ないんです。探偵役があまりにリベラルな物の考え方をするとか、そんなに恰好良く生きられるはずがないとか……。

それぞれが偏愛する作品

綾辻　ところで、初期作品の背景は遠海市界隈で共通しているけれど、語り口やアプローチは毎作、大きく変えていますね。変幻自在な感じですが、なぜそういうふうに？

詠坂　それは毎回ネタが違うからとしか言いようがないんです。オリジナルな発想に恵まれないので、元になる何かがあって、それを自分なりに消化して工夫を凝らした結果です。「斬新なトリックのひとつくらい思いつけよ」って、自分でも情けないんですけどね。

綾辻　斬新で独創的なトリックなんて、なかなか思いつかないものですよ。

詠坂　「それは組み合わせじゃん」って、いつも自分をなじっています。

綾辻　いやいや、作品独自の効果が狙えていれば、組み合わせでもOKなんだって。僕も突き詰めればそうだから。自作のヴァリエーションで書くこともあるし。『時計館の殺人』のメイントリックくらいかな、「思いついたぞ」という強い手応えがあったのは。

詠坂　（突然何かのスイッチが入って）そう、『時計館』ですよ！　やっぱり『時計館』じゃないですか！　もしも今日、綾辻さんが亡くなったとしても、千年後には『時計館の殺人』の作者として残ると思うんですよね。

綾辻　そ……そうかしら。

詠坂　カップラーメンの伏線は、もう絶対無比ですからね！

綾辻　あ……ありがとう。そういえば米澤穂信《よねざわほのぶ》さんも、去年他誌で対談をしたとき、『時計館』をたいそう褒めてくれたっけ。嬉しいことです。

僕は、詠坂作品の中では第三長編の『電氣人間の虞』を偏愛しています。例の最後の数行も含めて、本当に大好きな作品。怒る人もいるんだろうけどね。殊能将之《しゅのうまさゆき》さんの某長編（特に名は伏す）では僕、ムッとしたくちなんだけど、『電氣人間』は引っくり返って喜んでしまいました。全章の冒頭が「電気人間」という単語で始まる台詞《せりふ》になっているとか、作中の詠坂雄二の役回りとか、ああいう細部のこだわりをちゃんと読み解いてくれる読者が、最近はちょっと減ってきている気もするから、もっと吹聴してまわらないと。

第二長編の『遠海事件』は小野《おの》（不由美《ふゆみ》）さんが偏愛していますね。あの作品で語られる殺人鬼・佐藤誠《さとうまこと》の名前が『亡霊ふたり』に出てきたところでは、思わず「おお、そう来たか！」と。

詠坂　使い回しです。佐藤誠は便利すぎるんです。

綾辻　『リログラ』の吏塚高校はその後、廃校になっちゃったのねえ。

詠坂　あれだけ生徒が死んでいればしょうがないですよ。

ゲームから新本格へ

綾辻　詠坂さんは一九七九年の生まれですが、どんな読書体験を？

詠坂　小学生のとき、家の近くに図書館ができて、そこに通うようになったんです。読書体験というのは本当に図書館の品揃《ぞろ》え次第でした。本が五十音順に並んでいたので、自分が好きになった作家の近くに置いてある本は手に取りやすかったり。小遣いはほとんどゲームに費《ついや》していて、これは一九八〇年前後に生まれた同世代が通る道だと思いますけど、ゲームの『かまいたちの夜』（※我孫子《あびこ》武丸《たけまる》がシナリオを担当）から「新本格ミステリ」という括《くく》りがあることを知って、興味を持って新本格を読みはじめたパターンでした。

綾辻　ははあ。その世代になるとやっぱり、『かまいたち』の影響は甚大なんですね。『空《から》の境界』の奈須《なす》きのこさんも、入口は『かまいたち』だったそうだし。

ゲームといえば『インサート・コイン（ズ）』だけど、続編を「ジャーロ」に連載していますね。

詠坂　この対談が載る号で最終回です。

綾辻　『インサート・コイン（ズ）』は、好きな人は好きだろうなあ。

詠坂　好きな人は好き、というのは褒め言葉ではありませんよ。

（一同爆笑）

あの作品は本当に良くないんですよ。ああいう元のゲームのことを知らないとよく分からないものを書いていたら成長はないんです

（と、頭を抱える）。

伏線回収は恰好つけてる!?

綾辻　話が戻るけど、『遠海事件』は僕もこのあいだ読み返して、改めて感心しました。全体の構成とか、巻末のアレとかね。「巻末資料」で初めて、外枠の顚末《てんまつ》が明示されているんだもんなあ。

詠坂　それはカットしようかと考えたんです。その手前の部分で分かるんじゃあないかと。でも、これはあったほうがいいと担当さんに言われて残したんです。

綾辻　あったほうが絶対にいいでしょう。ないとあまりにも読者に不親切すぎます（笑）。

詠坂　綾辻さんは、読者のためにちゃんと〝答え合わせ〟をされますよね。

綾辻　伏線はなるべく回収するべし、というポリシーがあって。学生時代、連城《れんじょう》三紀彦《みきひこ》さんに原稿を読んでいただく機会があって、そのとき言われたんです。「せっかく張った伏線なんだから、ちゃんと回収して読者に示さないともったいないでしょう」というふうに。それが刷り込まれているんでしょう。でもね、作品としてきれいに成立するのならば、伏線は投げっ放しにして「あとは勝手に考えてね」みたいなのもアリだと思う。

詠坂　ああ、そこはさっきウヤムヤになった「先

輩のミステリ作家の皆さんは恰好つけすぎだ」と感じるポイントのひとつでもあるんです。伏線を回収するとか、恰好良すぎるでしょう？

綾辻　そうかぁ？　投げっ放しのほうが恰好つけてるんだよ（笑）。

詠坂　そんなことないです！　伏線をちゃんと回収するのはお行儀がよくてスマートなんですよ。

綾辻　うーむ（苦笑）。ところで詠坂さん、これまでに発表した作品の中で、自分ではどれがいちばん気に入っているの？

詠坂　『インサート・コイン（ズ）』ですね。あの作品が書けただけでペンネームを「詠坂雄二」にして良かったです（※ゲームデザイナーの堀井《ほりい》雄二から下の名前を取っている）。

綾辻　おや、すんなりそう出てくるか。「どれも駄目ですよ」とネガティヴな返答が来るかと思ったら。でもついさっき、あんなものを書いていては成長がないって言ったじゃない。

詠坂　い、いや、プロとしては失格です。あれは趣味に走りすぎたんですよ。読者を楽しませようとしていない。

綾辻　僕は一読者として楽しみましたよ。『スーパーマリオブラザーズ』に始まって『ドラゴンクエスト』に至る——と、ちゃんと押さえて然《しか》るべきタイトルを押さえているし。

詠坂　『インサート・コイン（ズ）』はメジャーなゲームばかり扱っているんですけど、ただいま「ジャーロ」で連載している続編はひどいものです。みんながプレイしているようなゲームがもうないんですよね。

綾辻　プレイしたことがなくても楽しめる小説になっていると思うけどなあ。そこまで謙遜《けんそん》しなくっても。

詠坂　いえ、王道のエンターテインメントと比べるとやっぱり駄目なんですよ。王道は難しいんです。難しいけれど、でも書きたい。書かないといけないんです！

綾辻　じゃあ、思いきり恰好をつけた、律儀な本格ミステリもいずれきっと書いてね。

（二〇一四・一・十四　於／京都・東華菜館本店）

from 詠坂雄二

不惑になりましたと書こうとしたのですが、調べたら満じゃなく数えで四十歳のことなのですね。じゃあ一昨年の元日にとっくになってるじゃないかよと。

歳の話を持ち出したのは書くネタが見つからなかったからですが、そういえば六年前、対談に臨んだ時も、似たような流れだったように思います。話題を用意していく元気がなく、おそらく見栄や世辞のための嘘はよそうとだけ決めて京都へ向かったのでしょう。整えられた文章からも詠坂のやっかいさ加減は伝わってきますが、実体はこの数倍だったはずで、綾辻さんをはじめ、関係各位の忍耐に今さら震える心地です。

おかげで当時の本音は露《あら》わなわけですが、以降の仕事ぶりを知っていると、結末を知った上で犯人の言い逃れに付き合っているような気分になります。それでもこうして対談集の一篇となれたことは幸いでした。並びでほかの方々と比べてもらえますし、ちゃんと恰好悪くなれていることには、よほどの自信があるからです。

⦿この対談で触れられていた書籍（登場順）

詠坂雄二『亡霊ふたり』（東京創元社）
詠坂雄二『リロ・グラ・シスタ』（光文社文庫）
詠坂雄二『遠海事件　佐藤誠はなぜ首を切断したのか?』（光文社文庫）
詠坂雄二『インサート・コイン（ズ）』（光文社文庫）
綾辻行人『殺人方程式――切断された死体の問題――』（講談社文庫）
詠坂雄二『電氣人間の虞』（光文社文庫）
綾辻行人『時計館の殺人〈新装改訂版〉』上下（講談社文庫）
奈須きのこ『空の境界』上中下（講談社文庫）

詠坂雄二（よみさか・ゆうじ）

1979年生まれ。高校在学中から小説創作を始め、卒業後もアルバイトのかたわら執筆を続ける。二十代の時を新人賞レースへの投稿に捧げると、光文社の新人発掘企画《カッパ・ワン登龍門》に応募した学園ハードボイルド『リロ・グラ・シスタ』で2007年に念願のデビューを果たす。屈折した青春を描いては右に出る者がない異才。主な著書に『電氣人間の虞』（2009年）、『インサート・コイン（ズ）』（12年）、『君待秋ラは透きとおる』（19年）など。

新本格ムーヴメントを
長年牽引《けんいん》してきた綾辻行人が
ホスト役を務める、
通称「京都対談」の第二弾。
桜舞う古都に招かれたのは、
本邦SF界で今最も注目を集める俊英、
宮内悠介《みやうちゆうすけ》。ゲストの宮内は、
根っからのSF読みかと思いきや、
意外にも〝綾辻チルドレン〟の
一人だった……！

綾辻行人 × 宮内悠介

Ayatsuji Yukito　Miyauchi Yusuke

†

綾辻　今日は宮内悠介さんに京都まで来ていただきました。まずはこれ（と、真新しい上下巻の文庫本を取り出す）、先ごろ『霧越邸《きりごえてい》殺人事件』の〈完全改訂版〉を角川文庫から出したんですが、その解説を宮内さんが書いてくれています。素敵な解説を、どうもありがとうね。
　初対面は確か、皆川博子《みながわひろこ》さんのサイン会でしたっけ。新宿の紀伊國屋《きのくにや》書店で『双頭のバビロン』のサイン会があって、たまたまそのとき東京にいたものだから祝福に駆けつけたところ、そこへ宮内さんもやって来て。

宮内　綾辻さんがいらっしゃると聞いて、ひと目お目にかかりたいと思ったのでした。

綾辻　何年前になるのかな。

宮内　ちょうど『盤上の夜』の単行本が出る前後で……。

綾辻　じゃあ二年前……そうそう。あのとき僕はすでに『盤上の夜』を読んでいて、皆川さんにもあの場で強くお奨《すす》めしたんだった。収録作品すべてに一文字も読み飛ばせないような緊張感が漲《みなぎ》っていて、随所でいたく感動して、読了後すぐさま竹本健治《たけもとけんじ》さんに電話したんですよ。宮内さんとは知り合いだと聞いていたから。僕がすっかり興奮して「すごいすごい」と捲《まく》し立てるのに対して、竹本さんは「うんうん、そうね」みたいな、いつものおっとりした反応で（笑）。

――竹本さんとはいつごろから親交があったんですか。

宮内　竹本さんが囲碁漫画の『入神』を描いていたとき、〝千人針アシスタント〟というのをやってらしたでしょう。それが終わったころ、ワセダミステリクラブの先輩の福井健太《ふくいけんた》さんに連れていってもらったんです。実は、そこで囲碁も教わりました。

綾辻　意外だなあ。子供のころから囲碁が好きで、というイメージを持っていたんだけれど。あの漫画がきっかけで囲碁を始めて、のちに「盤上の夜」を書くことになったと？

宮内　はい。でも、そのときのことは、さすがに竹本さんは覚えてらっしゃらないとは思います（笑）。

綾辻　『入神』のお手伝いには僕も行ったなあ。江戸川橋《えどがわばし》の、今はなき例の仕事場ですね。場合によってはあそこで、宮内・綾辻の遭遇もありえたのか。

宮内　『入神』には多大な影響を受けまして、それで参考文献のひとつにも挙がっているのです。

宮内悠介のルーツは綾辻ミステリ!?

綾辻　喋《しゃべ》っているうちに思い出しました。そういえば僕、最初に読んだ宮内作品は「盤上の夜」じゃなくて「清められた卓」なんだった。東京創元社の「Ｗｅｂミステリーズ！」に発表されたとき、すぐに。ウェブで小説を読むことはめったにないんだけど、確か大森望《おおもりのぞみ》さんからの情報で、「山田正紀《やまだまさき》賞でデビューした新人が書いた麻雀《マージャン》小説」らしいと知って、それは読まねばと（笑）。牌《ぱい》文字をいっさい使わずに、あれだけの〝戦い〟を描けていることに感心しました。故・安藤満《あんどうみつる》プロの名前や戦法がいいところで出てきたのも、かつての彼の雀友として嬉《うれ》しかったりもして。

宮内　『盤上の夜』はゲームを扱った連作ですが、

戦いそのものを書いた話は実は少なくて。麻雀はある程度は知っているので、ゲームの〝戦い〟の部分も書こうと。一編はそれをやっておかないと、説得力を欠くと思いまして。

綾辻　「清められた卓」できっちり認識していたから、単行本が出たとき、迷わず読んでみたのでした。さて、その『盤上の夜』がデビュー作にしていきなり日本SF大賞を受賞して、直木賞の候補にもなって、SF方面がいよいよ賑《にぎ》わってきたなあと思っていたところ、「宮内悠介はそもそも綾辻作品を愛読していたらしい」という話を某社の編集者から聞いて、ちょっとびっくりしたの。

宮内　そもそも綾辻作品を読んで小説を書きはじめたんです。この対談の場だから言うのではなく、本当にそうでして。高校時代に『十角館の殺人』と出会ったのです。きっかけは何かと言うと、漫画の『金田一《きんだいち》少年の事件簿』の六つのミイラが出てくる回で「すげえ！」と素朴に驚いていたら、親切な友人がいろいろ教えてくれまして、その流れで『十角館』を貸してくれたのでした。

綾辻　ははあ。それで「新本格ミステリ」にハマったわけ？

宮内　はい、そうです。

綾辻　宮内さんは一九七九年の生まれだから、高校時代というと九〇年代の半ばくらいですね。

宮内　綾辻さんの作品はドライな感じがしまして、それが肌に合ったんです。

綾辻　登場人物が記号的すぎるとか、当時いろいろと批判も受けたものだけど。

宮内　…………（しばし黙考して）うまく言えないのですが、どういうわけか、その点にこそリ

アリティを感じたんです。もとより私のアタマが『十角館』の感性に合っていたのか、それとも世代的な何かであるのか、自分の現実認識に近い〝新しい文体〟であるように受け止められたのでした。

綾辻　『十角館の殺人』はね、何をどうすればいいか教えてくれる人なんていないから、とにかく四苦八苦して、一生懸命に書いただけの作品だったんだよね。文体とか時代性を意識して、戦略的に考えるなんていう余裕もなく。〈新装改訂版〉を作ったとき改めて精読してみて、「当時としては尖《とが》った小説だったんだな」とは感じたけれども。

宮内　『霧越邸』も高校生のときに読んでいます。犯人の動機が、私は好きなんです。

綾辻　ありがとう。ああいう動機ってやっぱり、書いてみたいでしょ。カネとかイロの話ばかりだとつまんないから（笑）。

　ところで、宮内さんが最初に書いた小説は？　ミステリだったんですか。

宮内　はい。パソコンにWindows3.1を入れたら〈メモ帳〉がついてきましたので、それを使って犯人当て小説を書きはじめました。実は高校生のいっとき、犯人当てを書くのが流行《はや》りまして、その影響を受けたのです。

綾辻　へぇ。犯人当てが流行ったの。

宮内　早稲田大学高等学院という、早稲田大学の付属高校でのことです。

綾辻　大学は早稲田に進んで、ワセミスに入ったんでしたね。大学時代もミステリを書きつづけていたんですか。

宮内　ええ、ずっとミステリでした。その間はいろいろ習作的にチャレンジして、たとえば連城三紀彦《れんじようみきひこ》風ですとか、町田康《まちだこう》的な文体でバ

カミスを書いてみようですとか。各学年に必ず一人はいるようなタイプです。私はものすごく不勉強な読者なので、サークルのOBを名乗るのは気が引けるのですけれど、どういうわけか寛容にしてもらえて、そのことを今も感謝していたりします。

綾辻　そこで薫陶《くんとう》を受けたのが福井健太だったのか。ううむ。福井くんにもそういう存在意義があったわけだ（笑）。

宮内　出会いを今も覚えています。サークルの同人誌に寄せた私の小説を見た福井さんが、「これを書いたのは誰だ」と言い出しまして。以来、お酒だのなんだのと何かとつきあってもらい、とにかく知的刺激を受けつづけました。

綾辻　彼に対する認識をちょっと改めねば。

作家になるための修業時代

綾辻　大学卒業後は海外を放浪したんですね。どういう〝回路〟でそうなったのか、知りたいんだけど。

宮内　…………（しばし黙考して）こういうことは得てして勢いに基づくので、なかなか説明が難しいんですけれど、私は当時まだ二十代前半くらいで——将来、小説家としてデビューできると信じて疑わなかったんです。

綾辻　小説家というのは、ミステリ作家？

宮内　ええ。原体験が綾辻作品ですから。

綾辻　どこまで真に受けていいのかな（笑）。——僕は大学院の博士課程まで行ったんだけど、専攻は社会学の逸脱行動論で、これを選んだ動機は「いずれミステリを書く役に立つかもしれないから」だったんですよ。宮内さんの海外放浪にも、そのような目的意識があったんでしょうか。

宮内　おっしゃるとおりです。もうすこし〝内的な景色〟とでもいうものを広げておきたいと思ったんです。そのとき行ったのは南アジアで、インドとその周辺五カ国くらい。最初にインドに入って、それからバングラデシュ、パキスタン、ネパール、アフガニスタンと回りました。

綾辻　「9・11」以後、だよね。危険な時期だったんじゃないの？

宮内　アフガニスタンについて言えばアメリカ軍が統治しはじめたころで、その時期、奇跡的に治安が良かったんです。ですから、私みたいな旅行者でも観《み》て回ることができました。

綾辻　どれくらいで日本に帰ってきたんですか。

宮内　半年ほどです。外国を旅してきた人というのは、いっとき憑《つ》き物が憑いたようになるものでして、私の場合なぜか麻雀で負けなくなり（笑）、調子に乗ってプロ麻雀試験を受けたりしました。

綾辻　麻雀プロの団体もたくさんあるけど、誰が所属している団体？

宮内　新津《にいつ》潔《きよし》さんですとか。

綾辻　新津さん……じゃあ〈最高位戦日本プロ麻雀協会〉か。

宮内　残念ながら補欠合格で、通ってはいないんです。採用枠が二名とか三名で、私は補欠としても七、八番手でした。

綾辻　ふうん。そんなに厳しいんだ。海外放浪、プロ麻雀試験……で、それから？

宮内　小説を書く以上は、組織のことも知っておきたいと思い、プログラマーになりました。

こういうふうに言ってしまうと、当時拾ってくれた会社に悪いようでもあるのですけれど。

綾辻　デビューまで、ずいぶん長く投稿生活が続いたわけですね。

宮内　ええ。ずっと一次選考も通過できない時期が続きました。それでだんだんブレてきまして、一般文芸の賞レースにも投稿しています。ミステリ関係では、ミステリーズ！新人賞が多かったです。

綾辻　ミステリーズ！新人賞なら、僕も何年間か選考委員を務めていたけど、最終候補には残っていなかったよね。

宮内　はい。そのとき綾辻さんの目に触れていなくて良かったかも（笑）。

綾辻　そうなの？（笑）ともあれ、そうした長い投稿時代を経てようやく、「盤上の夜」が二〇一〇年の第一回創元ＳＦ短編賞で、山田正紀賞に選ばれました。この新設の賞に応募したきっかけは？

宮内　投稿生活を十年も続けていると、心が弱ってくるんです。文体の実験とか試行錯誤を繰り返したあげく、道を見失っていきまして。そんなとき、ワセミスの同期の酒井《さかい》貞道《さだみち》さんが東京創元社の〈年刊日本ＳＦ傑作選〉や大森望さんが編まれた『ＮＯＶＡ』といったＳＦアンソロジーを奨《すす》めてくれたんです。これがとても刺激的だった。〈年刊日本ＳＦ傑作選〉には巻末に創元ＳＦ短編賞の募集告知がありまして、それで一も二もなく応募してみたのでした。

綾辻　その結果の山田正紀賞、か。「盤上の夜」は〝人間と神とゲーム〟がテーマの作品だから、まさに山田さんの後継者が現れた、という感じで。そんな距離感で見ていたので、作

者がもともとはミステリの人だったと聞いて不思議な気がしたんですね。ずっとSFが好きで、何が何でもSFを書きたいと思って書いたんだろう、という印象があったものだから。

創作の裏側に迫る

編集部　『盤上の夜』の表題作に続く「人間の王」は実在したチェッカーの名人の伝記的事実を書いています。「これはまったくルポルタージュじゃないの？」と首をひねりながら読んでいくと、最後に「なるほど、こうやってSFにするんだ」と驚かされました。

宮内　自分自身にムチャぶりをするのが好きでして、「人間の王」の場合、九十九パーセントがノンフィクションのSFを書いてみようと。

綾辻　どの作品もテーマやアプローチが違うよね。名前の出てこないジャーナリストの「わたし」が全作の語り手ではあるけど、パターン化したシリーズものにはなっていない構成が刺激的です。

宮内　『春琴抄』や『第9地区』のようなドキュメンタリー風にすれば、いろいろ自分の好きなものを取り入れていけると考えたんです。

綾辻　僕は「盤上の夜」を読みはじめるなり、灰《はい》原由宇《ばらゆう》が碁を覚えたのは「海外で四肢を失ってからのことである」というくだりでもう、止まらなくなっちゃった。終盤で彼女が再生医療を受けるが、それでは駄目だからとまた切っちゃうところは凄絶《せいぜつ》だけれども、非常に論理的な帰着でもありますね。

宮内　肉体を超えていく精神性みたいなものを書きたかったので、四肢切断を題材に選びましたが、さすがにこの点で抵抗を持つ方は多かったようです。

綾辻　僕は麻雀以外のゲームにはさほど詳しくないので、それぞれのゲームに関する考察にはひたすら感心するばかりで。「清められた卓」なら、自分にも書けるかもしれないけど（笑）。「人間の王」は、僕もすごく好きだな。ミステリ的に見てもアクロバティックな技を使った傑作でしょう。

　第二作品集の『ヨハネスブルグの天使たち』になると、違うフェーズに入りますね。この本を読んだときは、宮内さんが実はミステリ者だと知っていたから、どのようにミステリの要素が入っているかという興味で読んじゃったのね。その意味で言うと、「ハドラマウトの道化たち」がとても印象的だったかな。この設定だとこんなふうにバールストン先攻法《ギャンビット》を使えるのか、と膝を打ちました。

編集部　いま現在、ＳＦジャンルの局面はスリリングですね。

宮内　何かが始まっている〝感じ〟のある面白い局面だと思います。とにかく自分を見つけてくれたのがＳＦであるので、これを軸に頑張っていきたいところです。

綾辻　だけどそのうち、ブーメランみたいに戻ってきてミステリを再発見して、すごい本格の長編を書いてくれるんじゃないか、と期待しています。

宮内　……あのう、創作の方法について伺ってもいいですか。綾辻さんの作品は、とにかく隅々《すみずみ》まで設計してから書いてらっしゃるイメージがあるんです。プロットを整理するのにノートを一冊つぶすという話を聞いたことがあるんですが……。

綾辻　そうですね。『霧越邸』のときは二冊か三冊、必要だったっけ。でも空白だらけのノートだから、あとで第三者が再現《トレース》できるような代物《しろもの》じゃないよ。

（一同、噴き出す――というのも対談当日の午後、ＳＴＡＰ細胞の論文不正問題に関して小保方晴子《おぼかたはるこ》氏が記者会見を行ったばかりだった。しばらくその話題で脱線）

宮内　そういえば先日、藤井太洋《ふじいたいよう》さんのネタ帳を見せていただいたんです。所々にイメージを喚起するイラストがあったり、マインドマップ的なものがあったりと、シャープな技術者のノートを見ているみたいでした。

綾辻　僕のノートは雑然としています。『霧越邸』のときは画《え》もいくつか描き込んでますね。白樺林《しらかば》がここにあって、ここが湖、この場所からはこういう風景が見えて……とか。それと、あの作品は登場人物の命名がいちいち大変だったから、一冊目は十ページくらい名前とその字画の計算ばかりが並んでいたりして。『深泥丘奇談《みどろがおかきだん》』みたいな短編だったら、見開きくらいのメモで書けるんだけど、長編になると綿密に章立てをして、ここでこういう事件が起きる、ここに伏線を張っておく、などと決め込んでから取りかかります。

宮内　細部まで設計されると、書きはじめるタイミングが逆に難しくなりませんか。

綾辻　うん。あれこれ考えつづけていたらきりがなくて、いつまで経《た》っても書きだせないから、締切の設定と編集さんの催促は必要不可欠（笑）。「これ以上は煮詰めても仕方ない、もう書きはじめようか」と見切りをつけて一歩、踏み出すことになります。ディテールは書き進めるうちに出てくる場合も多いし。

　そんなわけで僕は、長編の本格ミステリはちゃんと設計図を引いてからじゃないと書けない。京極夏彦《きょうごくなつひこ》さんはメモも何もなしで書くらしいけど。有栖川有栖《ありすがわありす》さんのメモは、紙一枚にくしゃくしゃっと殴り書きしたような感じで、よくここからあんなに美しい本格が書けるなあと感心します（笑）。

宮内　創作ノートの話をするのが好きなんです。皆さん、ぜんぜん違うんですよね。今回ＳＦ大賞を受賞された酉島伝法《とりしまでんぽう》さんにノートを見せてもらったら、まるでスケッチブックでした。ほとんどが画なんです。

〝恰好《かっこう》良さ〟は武器である！

綾辻　長編はまだ書かないんですか。

宮内　長編は書き下ろしで準備中です。火星の精神病院を舞台にしたＳＦです。

綾辻　火星の精神病院！　いいなあ、自由だなあ。

僕はＳＦって全然、駄目なんですよ。創作の適性がない。十代のころはひとしきりＳＦも読んで、書くほうの真似事《まねごと》もしましたが、駄目なんだよなあ。たとえば『殺人鬼』のように、構造がミステリで、そこにＳＦ的なガジェットをちょっと持ってきて使う、というやり方はできるんだけど。

宮内　でも、発想の根幹にＳＦ的な思考があると言われたことはありませんか。たとえば『時計館の殺人』ですとか。

綾辻　ああ。『時計館』はあの時期、たまたま似たようなアイディアの海外ＳＦがあったようですね。まったく知らずに書いたんだけど、あれがＳＦ的だとは意識していませんでした。何と言うか、とにかくＳＦ的なレトリックを使いこなすセンスがないんですよ、僕は。その点、宮内さんはほんと、切れ味良くＳＦ的な言葉や文法を使いこなしていて恰好いい。「恰好いい」なんて言うと軽薄そうにも聞こえるけど、これって実はとても大事なことだと思うんです。本格ミステリでもやっぱり、恰好いいのが読みたいんだよね。

ミステリにしてもＳＦにしても、それぞれのジャンル特有の言葉や文法を駆使して書かれたものが、いちいちダサく見えてしまう場合もある。作品の出来不出来がまず問題であるというのは当然としても、それとは別にジャンルを取り巻く状況、読み手が共有する時代の空気、みたいなものに左右される部分もかなりあると思うわけです。それで言うと、いまＳＦは恰好いい感じになってきている。いっときは「冬の時代」なんて呼ばれて、あ

のころは不毛な論争ばかりしていた印象があって、あまり恰好良くなかったんだよね。

翻《ひるがえ》って今、本格ミステリはどういう状況なんだろう、とつい考えてしまう。宮内さんが僕の作品などを読んでくれた一九九〇年代の半ばは、本格ミステリのさまざまな要素が、特に若者に対して、〝恰好いいもの〟としての強いアピール力を持っていた気がするの。クローズドサークル、密室、ロジック、叙述トリック……そのあたりが今は「恰好悪い」のかというと決してそんなことはない、とは思うんだけれど、でも、だんだんすり減ってきている感じは否めないんじゃないか。

宮内 私は間違いなく〝恰好いいもの〟として綾辻さんの作品を受け止めました。ところがいざ自分が書きはじめて〝恰好いいもの〟をめざしてみると、そういえば、「密室」や「クローズドサークル」は何となく書きにくくて、逆に文体に凝った心理ミステリなどに多くチャレンジすることとなりました。そこからサブカルチャー文学やラテンアメリカ文学へ飛び、ようやく一周して、恥ずかしがらずに自分の好きなものを投入しようと思えるようになり、そのときやっと新人賞の一次を通ることができました。「ジャーロ」で連載している、碁盤師が探偵役のミステリの連作も恥ずかしがらずにやってみようというものです。恰好良さと好きなものをどう両立させるかは、今もよく考えます。…………（しばし黙考して）インドを旅していて、友だちをそこで亡くしたことがありました。何が起きたのかは今も分からなくて、当時は文字通り靴底をすり減らして聞き込みなどの調査をしました。そのとき、たまたま現地の古書店で日本語の『水車館の殺人』を見つけて、事件を調べるかたわら貪《むさぼ》るように読んだのです。描かれているのはある意味では正反対の世界であるのに、探偵が真実を解き明かすという、たったそれだけのことが、砂漠の一滴の水のように感じられて、切実な、深い読書体験となりました。ですから、今さら私が言うまでもないことなのですが、もちろん恰好良さは大事であるとして、本格ミステリはいっときの恰好良さを突き抜ける分野であるとも信じています。

綾辻　なるほど、そんなことがあったんですか。名探偵が存在する世界への〝憧れ〟を、実体験を通じて切実に抱いたということかしら。

ジャンル小説には必ず、盛り上がっていく時期とすり減っていく時期があるんでしょうね。いまSFが〝いい感じ〟に見えるのは、次々に新しい才能が出てきた結果でもあるわけだけど、それも含めて「何となくSFが面白そう」という空気ができてきているから。これって、狙って作るのはなかなか難しい空気なんだよね。

宮内さんが持っている〝恰好良さ〟はね、大きな武器だと思うんです。この武器を使っていずれ、思いきり恰好いい本格ミステリを書いてほしいな。「ジャーロ」の連作も充分に面白いけれど、もっと尖ったものもぜひ読ませてね。

（二〇一四・四・九　於／京都・膳處漢《ぜぜかん》ぽっちり）

from 宮内悠介

この対談をさせてもらった日のことは、六年が経ったいまも鮮明に憶えています。対談当時が、二〇一四年。私の最初の本が出たのが二〇一二年なので、新人もいいところです。そして、綾辻行人さんという存在が自分にとっていかに大きなものであるかは、対談中でも明かされている通り。「いいのかな」「でもお話ししてみたい！」——ということで、編集さんと新幹線に乗って、あの硬いアイスクリームをつつき、東京から京都へ向かったのでした。

そして、京都で綾辻さんと合流して、まずは写真を撮り——ここでハプニングというか、本来なら予想されるべきであったのに、舞い上がって対策できていなかった事態に。私は、一種神格化してしまったかたの前では、ほとんど話すことができず、かちかちに固まってしまう性格であったのでした（それはもう、隣の編集さんが焦るくらいに）。そんな私に呆《あき》れることもなく、うまく話を引き出してくれた綾辻さんにはいまも感謝しかありません。そういえば、対談のあと、麻雀の相手をしてくださったのも思い出の一つ。その雀荘でもらったライターは、いまだに宝物として持っています。

さて、この対談で綾辻さんから受け取った宿題、「長編のミステリ作品」についてはまだ実現していません。もう少し小説が上手《うま》くなったら、などと思いながら、いまに至るのが現状なのでした。ハードルが高いというのもあります。でも、いつかは。おこがましくも恩に報いるためには、これを実現するしかないのですから。

⦿この対談で触れられていた書籍（登場順）

綾辻行人『霧越邸殺人事件〈完全改訂版〉』上下（角川文庫）
皆川博子『双頭のバビロン』上下（創元推理文庫）
宮内悠介『盤上の夜』（創元SF文庫）
竹本健治『入神』（南雲堂）
綾辻行人『十角館の殺人〈新装改訂版〉』（講談社文庫）
大森 望編『NOVA 書き下ろし日本SFコレクション』既刊14冊（河出文庫）
谷崎潤一郎『春琴抄』（新潮文庫）
宮内悠介『ヨハネスブルグの天使たち』（ハヤカワ文庫JA）
綾辻行人『深泥丘奇談』（角川文庫）
綾辻行人『殺人鬼 ――覚醒篇』（角川文庫）
綾辻行人『時計館の殺人〈新装改訂版〉』上下（講談社文庫）
綾辻行人『水車館の殺人〈新装改訂版〉』（講談社文庫）

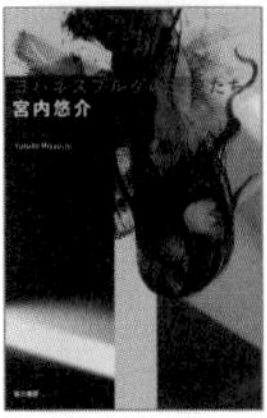

宮内悠介（みやうち・ゆうすけ）

1979年、東京都生まれ。早稲田大学第一文学部卒業。

在学中はワセダミステリクラブに所属。2010年、第1回創元SF短編賞に応募した「盤上の夜」が選考委員特別賞（山田正紀賞）を受賞。

同作を含む連作集『盤上の夜』（2012年）は日本SF大賞受賞の栄に浴す。

SFにミステリ、そして純文学とジャンルを横断した活躍を続け、『彼女がエスパーだったころ』（16年）で吉川英治文学新人賞を、『カブールの園』（17年）で三島由紀夫賞を獲得。

そうだ、才能あふれる後輩作家を
京都に呼ぼう。——と、
そんなふうに始まった対談企画も
第三弾。今回のゲストは、
学園ミステリの〈ハルチカ〉シリーズで
大当《ブレイク》たり中の初野晴《はつのせい》だ。
数々の新人賞レースで選考委員を
歴任する綾辻行人は、時の受賞者に
〝本格の呪い〟をかける！

綾辻行人 × 初野 晴

Ayatsuji Yukito　　Hatsuno Sei

†

綾辻　初野さんもデビューからもうずいぶん経《た》ちますね。『水の時計』で横溝正史《よこみぞせいし》ミステリ大賞を受賞されたのが、二〇〇二年。

初野　十二年になります。綾辻さんのおかげでデビューできたようなものです。

綾辻　いやいや、そんなことはないですよ。あの年の選考は全会一致だったし。その前の年の横溝賞でも、『しびとのうた』という作品が最終候補まで残ったんでしたね。

初野　「新人離れした大ジャンプに挑んで、見事にK点を越えたは良いが着地で転倒、全身打撲の負傷」という評価をいただきました。

綾辻　ははっ。誰に言われたんですか、それ。

初野　綾辻さんです（笑）。

綾辻　えっ、僕？　そんなふうに書いたっけ。選評で？

初野　はい。二〇〇二年五月発行の月刊誌「KADOKAWAミステリ」の選評で。『しびとのうた』が受賞に至らなかった理由は、あの言葉がいちばん腑《ふ》に落ちました。それと落選した年に綾辻さんは、選評の半分近くを割いて激励してくださったんです。あれがなければ、今の自分はいません。

綾辻　『しびとのうた』は「国内編」と「海外編」が交互に語られるという構成だったけれども、特にあの国内編に僕、とても感動したんです。夜中に中学生たちが集まって、ある無人のお屋敷の地下室へ行って、そこになぜか置かれている棺《ひつぎ》の中の〝少女の永久死体〟を見て、触れて、それによって自分たちが生きている実感を得ようとするんだよね。クライマックスでは不覚にも泣いてしまった記憶が。

初野　恐縮です。

綾辻　でもね、少女の正体を探る海外編のほうはどうも感心できなくて……ごめんね、「全身打撲の負傷」なんて書いちゃって（苦笑）。でも、あれは思いきり褒めたつもりだったの。構想が大きすぎて規定の枚数では書ききれなかった、という感じでしたね。

　新人賞の選考にはこれまで多く関わってきていますが、若い人の原稿を読んで刺激を受けることは多々あって、それが自分の創作にフィードバックされることもけっこうあるんです。『しびとのうた』もそう。これは初野さんに言うのは初めてだし、こういう公の場で言うのも初めてなんだけど、『しびとのうた』の中学生たちが〝生〟と〝死〟を捉える感性、その現代的なリアリティが、のちに自分が書くことになる『Another《アナザー》』に影響を与えたのは確かだと思うんだ。『Another』でも、地下の展示室に少女の球体関節人形が納められた棺があったりするでしょう？　でもって、ヒロインの見崎鳴《みさきめい》が「人形はね、虚《うつ》ろなの」って言ったりするじゃない。あのあたりはたぶん、『しびとのうた』を読んで感じ入ったあれこれが、僕の中で独自に変換されて出てきたんだろうなと。だから、それもあって初野さんに『Another』の文庫解説をお願いしたんですよ。

初野　……しょ、衝撃の事実です。思いもよらないことで……光栄です。

モノローグより ダイアローグ

綾辻　最近ではこれを読んで（と、ハードカバーの単行本を手に取る）、たいへん感心しました。『カマラとアマラの丘』。現時点での、初野さんの最新刊になるのかな。

初野　デビューから数えて十作目の区切りの作品でしたので、原点回帰のつもりで幻想ミステリを書いたんです。僕は独白《モノローグ》形式より対話《ダイアローグ》形式が好きで、この作品では、営業経験で培《つちか》った交渉技術やディベートを活《い》かした議論小説の側面も持たせています。物語の舞台は固定、背景は夜、フェアネス・ニュートラルな立場の探偵役、なるべく回想シーンは入れないなどの〝縛り〟を設けたうえで、創造の世界をどこまで広げられるのかがチャレンジでした。で、K点越えのジャンプをしても、着地で転倒しないように気を遣いました。今でもそれが大変（笑）。

編集部　一話目に〝あの手の話〟を持ってきたところに、まず驚きますね。連作だと普通、後半に持ってくる話のはずです。

綾辻　読みはじめてすぐに「あれ？」とは思ったんだけどなあ……これは参りましたね。びっくりしたというより、感動させられてし

まいました。いわゆる叙述トリック系の作品なんだけれど、仕掛けが明かされて〝世界〟の真実が見えたとき、初野さんの作品は読み手の感情を揺さぶるんだよね。

初野　行き着く先は叙述トリックかなと模索して書いたところがあります。

綾辻　これ以上は詳しく語れないけど、僕も同系列の短編をむかし書いていて（笑）、乙一《おついち》さんの『ＧＯＴＨ』の中にも一編、やはりこれと同系列の作品がありますね。その系譜に連なる最新の収穫でしょう。

編集部『カマラとアマラの丘』の中で初野さんが思い入れのある作品はどれですか？

初野　〈ハーメルンの笛吹き男〉をモチーフにした「ヴァルキューリの丘」ですね。社会人生活の中で、自分の想定を超えて事態がどんどん最悪のほうに転がっていく経験をしまして、それをミステリでどう表現しようかという気持ちで書きました。それとやはり、力を入れた短編には、寓話的な要素を入れたい。

綾辻　ちなみに、僕がいちばん好きなのは「ブクウスとツォノクワの丘」です。ところでこの作品集、文庫化されたときにタイトルが変わったんですね。

初野　ええ、『向こう側の遊園』に。これは「向ヶ丘遊園《むこうがおかゆうえん》」をもじりました。

綾辻　なに、それ（笑）。

初野　タイトルが変わったのは版元、いや、大人の事情です。察していただければ（笑）。僕は大学時代に向ヶ丘遊園の近所に住んでいて、強く印象に残っているんです。作品世界のモノレールもバラ園も実在したもので、当時の記憶を頼りに書きました。

綾辻　ともあれ、この連作集には本当に感心しました。シリーズ化もできそうだけれど、その予定は？

初野　売れたら続けようかと色気はあるんです。ボツにするには惜しいネタも残っていますし。

アイディアは降ってこない！

綾辻　ミステリには子供のころから親しんでいたんですか。

初野　初めてミステリっぽいものに触れた体験は、小学館の学年誌に載っていた山根《やまね》あおおにの『名たんていカゲマン』でした。ほぼギャグ漫画でしたけど。まともな活字体験は小学五年生から中学一年生くらいまでにひととおり読んだ金田一耕助《きんだいちこうすけ》シリーズです。そこで読書はいったんパタッと止まって、ふたたび活字を読む情熱が甦《よみがえ》ったのは大学二年のとき。成城大学ミステリークラブのメンバーと友だちになりまして、『十角館の殺人』や麻耶雄嵩《まやゆたか》さんの『翼ある闇』を借りて読み、もう大興奮でした。だいぶ遅れて新本格ミステリと出会ったんです。綾辻さんの「館《やかた》」シリーズでいちばん好きなのは『時計館の殺人』なんですが、個人的には『黒猫館の殺人』を偏愛しています。『黒猫館』は本当に大胆に伏線を張っていますね。

綾辻　大胆というか、大小とりまぜてありったけ放り込んだ、みたいな（笑）。

初野　新本格ミステリで、叙述トリックの魅力にすっかり取り憑《つ》かれました。自分の判断基準で言うと、叙述トリックは「武士道」ですね。相手の隙を突いて狙うところがサムライのようです。一方、機械的なトリックは「騎士道」の精神かなと。おかしな分け方かもしれませんが。

綾辻　武士道と騎士道？　初めて耳にする妙な喩《たと》えだなあ（笑）。

叙述トリックに関して言えば、僕の場合、過去に誰かが使った前例があったとしても、それを自分ならどう書くか、というスタンスで取り組んでいます。「館」シリーズを続けて書いていたころは、次の作品ではどんな「暗黙の了解」を覆《くつがえ》そうか、と考えながら、ひとつひとつ挑戦していった感じでしたね。

初野　「館」シリーズの世界観は独特で、読者の感情移入をはねつけるような〝距離感〟を持っていると思うんです。僕もそれを自分の作品に持ち込みたい。作品に、なるべく自意識は入れたくないんです。作者の自意識は必要ない。だけれど、美意識は必要だと。

綾辻　うーん。何だか昔の自分の台詞《せりふ》を聞いているようです（笑）。

初野　美意識については、ある会社経営者の地に足のついた言葉がすごく胸に響いたんです。みんなが正しいと思っていることは、時代とともに変わってしまうけど、その点、美しいことは変わらない。仕事で何かを判断するときは、美しいかどうかを自問しなさい……という感じで。

綾辻　僕は初野さんと違って、短編ミステリをあまり書いていないんだよね。ミステリの短編集は『どんどん橋、落ちた』と『フリークス』の二冊だけで、あとは『眼球綺譚《きたん》』にしろ『深泥丘奇談』にしろ、怪奇幻想系だから。短編にふさわしいトリックをなかなか思いつかないんです。アイディアをいじくりまわしていると長編のプロットになってしまう。だいたい僕、ネタの当てがなかったら雑誌の短編の依頼は引き受けない方針だし。

初野　当てがなくても引き受けてます（苦笑）。

綾辻　いや、それが正しいプロのあり方でしょう。有栖川有栖《ありすがわありす》さんなんかね、夜中に電話で話したりするといつも、「今月も短編を書かなきゃいけない。でも、ネタが何もない」とこぼしているわけ。「何もないのにどうして引き受けるの？」って訊《き》いたら、「そりゃあ、依頼が来たら引き受けるでしょう」と。「はは あ、そうなのか」と思いながらも、僕には怖くてとてもできない。

初野　「ネタが降りてくる」というニュアンスのことを言う作家さんがわりと多いじゃないですか。僕は絶対に探さないと見つからないんです。それこそ自分の場合、トリュフをブヒブヒと探すブタみたいに。

綾辻　僕も探してますよ。四六時中、無意識のうちに探しているようなところもあって、だからこそ、ふっと思いつく――「アイディアが降ってくる」と錯覚してしまうような瞬間があるんだよね。

初野　それは映画とか、そういったものがきっかけになりますか。

綾辻　映画を観ていて、というのはけっこうあります。トリックそのものを思いつくんじゃなくて、「この雰囲気、この方向性で何か書けそう」と感じて、頭がむずむずする。映画に限らず、自分に合う良質な創作物を〝食べて〟いるときって、やっぱり脳が刺激されて、何か出てくることが多いよね。

初野　僕はもともとドキュメンタリーや理系のノンフィクションが好きなんです。小説より遥《はる》かにたくさん読んでいて、自動車工学とか、まったく関係ないジャンルの本を読んでいるとき、アイディアが浮かぶことがあります。

綾辻　初野さんは毎作、実にいろいろなフィールドから題材を持ってきますね。資料になりそうな本は普段、当てもなく読んでいるんですか。

初野　はい。法人営業をしていたころからの習慣です。営業は相手との共通言語が見つからないと商談のテーブルにつけない。だから、自分の知らない業界やフィールドの本を読まなければならないわけでして。

綾辻　こういった題材の多彩さは、初野さんの強みですね。最近、巻末に参考文献をこれだけ挙げる作家も珍しい気が。

初野　インスピレーションを受けただけでも載せています。小説家をめざす人のヒントになるだろうし、そこから波及する読書も期待して。

編集部　たとえば〈ハルチカ〉シリーズの『退出ゲーム』で言うと、中国の一人っ子政策の負の側面など国際的な社会派テーマを、学園ミステリの中で消化したこと自体に意外性があります。

綾辻　学園を舞台にした青春ミステリでありながら、学園外に存在する多種多様な問題をうまく引き込んできているのが、〈ハルチカ〉シリーズの特色ですね。

〝本格の呪い〟をかけられて

初野　ところで、この機会に伺いたいことがあるんです。横溝賞の応募作の『しびとのうた』と『水の時計』はそれほど本格寄りではなかったはずなのに、そんな僕に、綾辻さんはなぜ〝呪い〟をかけたのか、ずっと気になっていまして……。

綾辻　ああ、例の〝本格の呪い〟の話？

初野　結果的に僕は今も本格ミステリを書いています。立派に呪われています。

綾辻　「本格」かどうかを測るにさいして、僕の場合、物差しのひとつとして「伏線の張り方」があるんです。なるべく細やかに多くの伏線を張り巡らせたうえで、それらがどのくらいうまく「意外な結末」に結びついているか。その意味でも、『カマラとアマラの丘』は素晴らしい本格ミステリですね。『しびとのうた』と『水の時計』にも、そういう資質が感じられたんだと思う。

初野　どこまで伏線として出しておくべきか、いつも悩むところです。

綾辻　ここまで書くとバレる恐れがあるから書かないか、バレるかもしれないけれども書いてしまうか、という悩み？

初野　そうなんです。最初はビクビクしていましたけれど、最近はバレてもいいかという振り幅で書くようになりました。

綾辻　個人的にはそれ、賛成です。僕もだいたい、そういうスタンスで書いてきたから。張れる伏線は張る。これ以上書いたらバレるかも、というぎりぎりの線を狙いつつも、あえてあからさまな書き方をすることも少なくない。百人の読者がいたとして、百人全員を騙《だま》す必要はない、というか、そんなことはまず不可能でしょう。七十人くらいが騙されて驚いてくれれば、上々だと思うの。

それから、あまりバレるのを怖がりすぎると、ちょろっと仄《ほの》めかしただけみたいな伏線になりがちでしょ。解決編でそれを回収してみても、「そんなこと書いてあったっけ？」と首を傾《かし》げられてしまう。ぎりぎりまであからさまに、大胆に伏線を張っておくと、それでなおかつ騙されたときに読者が受けるインパクトが大きいから。「ここにちゃんとこう書いてあったのに、どうして自分は気づかなかったんだ?」というふうに。もちろん、大胆な伏線であるにもかかわらず誰一人として気づかない、というのがベストなんだけど、不特定多数の読者が相手だと、それは限りなく難しい。そんなわけで僕の場合は、「迷ったときは書いちゃえ」ですね。

初野　そうでしたか。

綾辻　自分が選考委員を務める新人賞では、非本格系の作品で受賞した人にも〝本格の呪い〟をかけることにしているんです。たとえば井《いの》上尚登《うえなおと》さんや山田宗樹《やまだむねき》さん、伊岡瞬《いおかしゅん》さんたちにも、「横溝正史先生の名を冠した賞の受賞者なんだから、死ぬまでに一作は、『これがオレの本格だ』というような作品をものしてくださいね」と。するとみんな、けっこう気に留めてくれてるみたいで。まあ、初野さんの場合は特別で、あの年は授賞式の壇上で僕が講評を述べる番だったので、ここぞとばかりに公に呪ってしまったという(笑)。

初野　その〝呪い〟を強く意識したのは、三作目の『1/2の騎士』を書いているときでした。自分はもしかしたらこの作品でフェイドアウトするんじゃないかという不安があって……ジェフリー・アーチャーも三作目が勝負だという名言を残していますし(笑)、だったら持っているネタを出し惜しみせずに詰め込んで、さらに綾辻さんの〝呪い〟に応えようと。自分としては『1/2の騎士』が勝負作だったんですが、保険で書き継いでいた〈ハルチカ〉シリーズの単行本『退出ゲーム』もたまたま同じ月(二〇〇八年十月)に刊行されて――。

綾辻　そうしたら〈ハルチカ〉のほうがブレイ

クしちゃった。何がどうなるか分からんものですねえ。

初野　チカちゃん調でいうと、なんなのよ！　という感じです（笑）。

〈ハルチカ〉シリーズの舞台裏

初野　〈ハルチカ〉は実験小説のつもりで書いています。高校生の学園生活を題材にしていても、できるだけ虚構の世界の空気感を出したい。〈日常の謎〉ではなく、とことん〈非日常の謎〉でいくぞ、と。

綾辻　他の作品と比べると、いい意味で肩の力が抜けた感じがします。加えて〈ハルチカ〉には、何だか妙なギャグも多いよね？

初野　七〇年代、八〇年代の時代性をいちいち刻印していますし、今の若い人が読んでも分からないサブカルネタがあったり(笑)。

綾辻　非常に軽みが出ていて、「これは作者も楽しんで書いているんだな」と思って読むほうも楽に構えていると、実はずしんと重いテーマが仕込まれていたり。どの作品も核心《コア》には意表をつくネタがあって、本格ミステリの骨格を持っている。ただ、第四集の『千年ジュリエット』になると、スラップスティック的な実験もあると思うんだけど、登場人物が増えてきたぶん、ミステリとしての求心力がちょっと弱まっている気がしました。

初野　おっしゃるとおりです。

綾辻　それが悪いとは言いませんし、たぶんそのほうがシリーズの人気は高まるだろうと思うけれど——。

初野　第五集がなかなか刊行できずにいるのも、そこに課題があります。今、〈ハルチカ〉シリーズは、「もう十代の世界でなくても、吹奏楽でなくてもいい」というところまで拡散しすぎて、軸足の置き場を見失いつつあります。吹奏楽はあくまで、この小説の「手段」であって、「目的」ではないんですが、青春小説としての要素や部活動をもっと描かないと、そろそろ物語世界が破綻しそうな地点まで来ています。じゃあその方向で、とは簡単にいかないのが悩みでして、キャラクターにシンパシーを感じてくれている読者の期待を裏切らないよう、シリーズを終わらせたいとは思っているんですが。

綾辻　一作一作、真面目に新手のトリックを仕掛けているから、コンスタントにシリーズを書きつづけるのはしんどいだろうと思います。単なるキャラクター小説じゃないから。

初野　キャラクターの話で言うと、自分は演劇のストック・キャラクターの方式をとっているんです。王子は誰か、王女は誰か、召使いは、道化は、というふうに当てはめて造形しているので、〈ハルチカ〉は日本の学園ものっぽくない、海外の童話やファンタジーっぽい浮遊感があるかもしれません。

ロマンティストの日常と創作

綾辻　そういえば、初野さん自身は高校時代は柔道部で、音楽方面の活動にはぜんぜん関係していなかったんだよね。

初野　まったくないんです。体育会系の部活動、理系大学、法人営業のサラリーマン生活など、自分が歩んだ経験そのものを作品に活かしたことはありません。逆に、自分の知らない世界を書きながら〝追体験〟するのは楽しい。書く動機にもなりますし。

綾辻　自分がリアルに経験したことは書かない、というのは珍しいね。それがきっと、初野さんの独特の作風の基盤になっているんでしょう。僕はそもそもリアリズム小説が苦手なので、そういう初野作品が肌に合うんだ。

初野　臆面もなく言いますが、自分はロマンティストです（笑）。長い社会人生活の中で、現実の人間関係や仕事の生々しさが嫌になったクチです。仕事から疲れて帰ってきたとき、中途半端なリアリズム小説なんて読みたくもなかった。幻想小説や不可能犯罪のミステリに手が伸びたのも、処方箋の意味があったんだと思います。

ところで、綾辻さんはホラー映画の『アクエリアス』を劇場でご覧になったんですよね。

綾辻　ああ、うん。監督のミケーレ・ソアヴィ

はダリオ・アルジェントの薫陶《くんとう》を受けた人だから、八七年の劇場公開時には一も二もなく観にいきました。

初野　本当に、本当に羨《うらや》ましいです。リアルタイムのスクリーンで、あの幻想的で美しいラストシーンを観たかった。明日から仕事頑張るぞ、という気になります（笑）。

綾辻　へぇ。そんなに好きなんですか、『アクエリアス』。ちょっと意外。

初野　僕は日常世界のリアルより、現実と非現実、生と死、人間と動物など、それぞれの境界線を巡るドラマに関心があります。これは大学で学んだ計測制御の考えです

が、あらゆるものは二で割れないという真理があって、それが作風の根本にあると思います。

綾辻　〈ハルチカ〉では、楽器についての蘊蓄《うんちく》もかなり書き込んでいますね。

初野　双子の弟が音楽関係の仕事をしていて詳しいんです。そういえば自分は、双子ネタも作品に活かしていない（笑）。もったいない……。

綾辻　噂《うわさ》によれば、会社を辞めて専業作家になってからも、何やら秘密のアルバイトをしているとか？

初野　あれぇ、ご存じでしたか。

綾辻　その仕事のことも詳しく……いや、これはリアルだから書けないのか（笑）。

初野　大きな転勤辞令が下りる前に専業になりました。同期の親友が家族同伴でメキシコに行ったくらいですから、ちょっとほっとしています（笑）。で、専業になったものの、一日中机の前に座っていてもアイディアがなかなか形にならなくて。自分は時間的にも意識的にも創作と完全に切り離した部分がないとダメなんだということが分かってきたんです。それでまあ、一日に三、四時間くらい別の仕事をするようになって、ようやく執筆が楽になりました。

綾辻　そういうものかもしれないねえ。会社員と兼業のときは殺人的に忙しかったと聞きますけど、週末や夜に小説を書くということ自体が楽しみになっていたわけでしょ。

初野　はい。楽しみが深夜のＡＭラジオだけになりました（笑）。これはやっぱり、別に仕事を持っていたほうがいいと思ったんです。

綾辻　今は作家が正業、秘密のそれが副業と。

初野　ヒントは甘い副業といっておきます（笑）。『カマラとアマラの丘』からブランクがありましたが、近いうちに新刊を続けて出せるはずです。〈ハルチカ〉シリーズの第五集と、新作の学園ミステリ。神父が探偵役で、真夜中のトイレが舞台の作品です。他にも書きためている原稿がありますから、順次刊行します。

綾辻　どれも楽しみですね。――というところで、最後に『しびとのうた』の話に戻りましょうか。初めて初野さんと会ったときから僕、「いずれ必ず、『しびとのうた』をいい形に手直しして発表してね」と言いつづけているんだけど。もう十二年も経つんだけど？

初野　出す出す詐欺《さぎ》ですね（笑）。すみません……。現在いったん筆を止めています。でも二年以内には約束を果たしたいと思っています。

綾辻　ほんまやな？（苦笑）

初野　はいぃ。

綾辻　授賞式のときにかけた〝本格の呪い〟はもう解けているから、気にしないように。

初野　いえ！　まだ本格にこだわって書かせてほしいです。

綾辻　ううむ。それじゃあ初野さんには、好き好んで〝呪い〟を背負いつづけてもらいましょう。——と、このような形でも綾辻行人は、わが国の本格ミステリ界に貢献しているわけですな。

（二〇一四・九・七　於／京都・ちもと）

from 初野 晴

数年前の対談です。懐かしむ気持ちでゲラを読みはじめたところ、もしタイムパトロール隊の一員になれるのなら、武士道やら騎士道やらロマンティストやらを口走っているバカを公然わいせつ物陳列罪で逮捕したい衝動に駆られました。なかったことにはせず、修正しないで掲載させていただきます。

さて、本題。

どの職種、どの企業に属しても言えることですが、メンター（先達）はいるのか？　いないのか？　それはだれか？　というのは大事な要素で、その点で私は恵まれ、小説家としてのメンターはデビュー前から綾辻さんでした。現在もそれは変わりません。誤解を怖《おそ》れずに書けば、学んだことのひとつが「器用貧乏より愚直になれ」というものです。いつか私も後進のメンターになることで恩返しがしたい。

今回の対談は私にとって有用なものでした。機会をいただいた綾辻さん、光文社の関係者、佳多山《かたやま》さんに改めて御礼申し上げます。

⦿この対談で触れられていた書籍（登場順）

初野 晴『水の時計』（角川文庫）
綾辻行人『Ａｎｏｔｈｅｒ』上下（角川文庫）
初野 晴『向こう側の遊園』（講談社文庫）
乙一『ＧＯＴＨ』夜の章・僕の章（角川文庫）
山根あおおに『名たんていカゲマン』全11巻（小学館てんとう虫コミックス）
綾辻行人『十角館の殺人〈新装改訂版〉』（講談社文庫）
麻耶雄嵩『翼ある闇　メルカトル鮎最後の事件』（講談社文庫）
綾辻行人『時計館の殺人〈新装改訂版〉』上下（講談社文庫）
綾辻行人『黒猫館の殺人〈新装改訂版〉』（講談社文庫）
綾辻行人『どんどん橋、落ちた〈新装改訂版〉』（講談社文庫）
綾辻行人『フリークス』（角川文庫）
綾辻行人『眼球綺譚』（角川文庫）
綾辻行人『深泥丘奇談』（角川文庫）
初野 晴『退出ゲーム』（角川文庫）
初野 晴『1／2の騎士』（講談社文庫）
初野 晴『千年ジュリエット』（角川文庫）

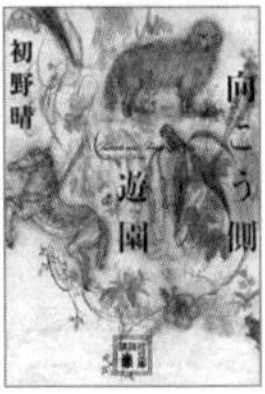

初野 晴（はつの・せい）

1973年、静岡県生まれ。法政大学工学部卒業。

大学時代から創作を始め、2002年に『水の時計』で横溝正史ミステリ大賞を受賞し、作家デビュー。『1/2の騎士』（2008年）や『カマラとアマラの丘』（12年）など、ファンタジックな世界観にトリッキーかつペダンチックな謎解きの興趣を盛り込んで独自の地歩を固める。『退出ゲーム』（08年）に始まる学園ミステリの〈ハルチカ〉シリーズは、テレビアニメや実写映画も製作され人気を博す。

座談の名手でもある綾辻行人が、地元京都でホスト役を務める対談企画第四弾！
今回のゲストは、昨年（二〇一四年）発表した『少女キネマ』で脚光を浴びた一肇《にのまえはじめ》。
同書の帯に熱烈な推薦文を寄せた綾辻は、ぜひこの〝新しい才能〟を本格ミステリファンに猛アピールしたくて――。

綾辻行人 × 一肇

Ayatsuji Yukito　　Ninomae Hajime

†

綾辻　角川スニーカー文庫で出た『桜《チェリッシュ》ish――推定魔法少女――』がデビュー作になるんですね。これが二〇〇七年の刊行ですが、そのあたりで一度、僕と遭遇する機会があったんだとか？

一　はい。デビューしてすぐ、角川書店の新年会で。「あっ、綾辻先生だ」と思ったのですが、声をかけることはできず、遠くから見ておりました。

綾辻　では、今日のご挨拶はやっぱり「はじめまして」ですね（笑）。――京都に若手の作家をお招きして無理やり本格ミステリについて語ろう、というこの対談企画も第四回になります。今回は一肇さんに来ていただきました。

ご縁があって『少女キネマ』の帯に推薦文をお寄せしたわけですが、これは僕が去年読んだ小説の中でもベスト3に入る傑作だと思っています。いや、ベスト5……。編集部から原稿が送られてきて、かなり急ぎの進行だったので、とにかく冒頭だけでも読んでみるかと。そう思って読みだしたら止まらなくなって、数時間で読みおえてしまったんですよ。

編集部　「或《あるい》は暴想王と屋根裏姫の物語」という副題がついています。想像力逞《たくま》しい二十歳の大学一年生が主人公で、映画尽くしの青春群像ミステリといえますね。

綾辻　一さんご自身、かつては映画青年だったんですか。

一　はい。映画監督に憧れて、大学は二年の途中でいったんやめたんです。当時、ニューヨーク・インディーズが盛り上がっていたので、何のつてもなくニューヨークまで行ったんです。運良く、撮影現場を見学中に親しくなった監督さんのお世話になり、映画の勉強をしていたのですが、手持ちのお金が尽きたところでいったん帰国して、再度ニューヨークに行こうとアルバイトに励んでいるときに、これもたまたま縁があって知り合った照明技師さんの弟子になるような恰好《かっこう》で撮影現場に入れました。それから現場のお仕事をしつつ、大学にも復学したんです。結局、大学には八年もいました。

綾辻　僕は大学、院まで含めてだけど、十三年もいたんですよ（笑）。

デビュー作はいわゆるライトノベルで、その後の何作かもライトノベルを書いてこられました。ところが去年、ラノベからは離れたところでこの『少女キネマ』を出された。奥付ページの著者紹介に「『このラストシーンを書けたらもう死んでも悔いはない』という想いで完成させた第2の処女作」とありますが、そのくらい切実な気概というか、モチベーションがあったわけですね、この長編には。

一　そうなんです。自分は会社員（※PC用ゲームメーカーのニトロプラス所属）なので、自分の出す小説の企画がなかなか通らず何も書けないでいる時期でも、お給料をいただけるんです。まわりは一生懸命働いているのに、タイムカードを押して、机に座っているだけの日々が続いて。それがいよいよ辛《つら》くなってきたときに、何かひとつ自分が本当に面白いと思うものを書いて、それがダメだったらやめようと思って書いたものが『少女キネマ』でした。

物を書くのに、どうしても一度自分が越えておかなければいけないと心に引っかかって

いたやりとりがあって、それをもとに『少女キネマ』は出来上がりました。

綾辻　どんなやりとりが？

一　ぼくが大好きだった友人がやはり映画を撮っていまして、彼がどうにも行き詰まっていた時期に、ある飲み会の席でいきなり「もっとボクのことを認めてくれ」と言ってきたことがあったんです。そのときは男同士で何だと思っちゃって、「その映画が完成したら認めてやる」と言い返してしまった。

そうしたら、以来、彼とはもう会えなくなってしまったんです。それがいまだに傷になっていまして、それを一回、ちゃんと文章として、小説として書かなければ、自分はどこにも行けないんじゃないかと思って書いたのが『少女キネマ』だったんです。

綾辻　自分の青春に落とし前をつける、とでもいった感じですか。

一　はい。それと、企画が通らなかった時期に、「ハーレムものを書けば売れるよ」と言われたことがあったんです。「ライトノベルだと、主人公の男の子が大勢の女の子にモテモテになる話を書けば、とりあえず売れる」と。

（一同、いっせいに噴き出す）

それがもう、ぜんぜん納得がいかなくって、男ばかり出てくる小説を書いてやるという変な意気込みもありました。

暑苦しく、面白く、謎めく

綾辻　『少女キネマ』の第一稿は、文体がもっと森見登美彦《もりみとみひこ》さんのそれに近かったと聞いています。けれどもその時点で、一さんは森見作品をまったく読んだことがなかったとか？

一　そうなんです。いま小説を書いて暮らしている人の中で、ぼくは一、二を争うくらい小説を読んでいないんじゃないか……。

当時、すでに森見さんは有名だったのですが、仕事柄ライトノベルばかり読んでいたので、ぜんぜん不勉強だったんです。角川書店から出たばかりだった『夜は短し歩けよ乙女』を読むと、主人公の饒舌《じょうぜつ》ぶりが素晴らしく暑苦しいんです。ぼくの文体はただクドいだけで、森見さんのそれはちゃんと芸になっている。「ああ、これがぼくのやりたいことだった」とガックリきたんです。

綾辻　完成稿でも、確かに森見さんに似た感じはするけれど、読み進めるとかなりニュアンスの違うことが分かります。森見さんよりも暑苦しいし（笑）。

一　ぼくのほうが暑苦しいですか！

綾辻　うん。熱が高い、というか。だから、推薦文ではわざと、「暑苦しい」じゃなくて「熱苦しい」としたんです。『少女キネマ』のほうが作者の熱がストレートに伝わってくる。副題にある言葉を使うと、作者も主人公と一緒になって「暴想」していますす（笑）。森見さんの語りは、何というか、対象からもうちょっと距離を置いてコントロールしている感じがする。

この作品は――（と『少女キネマ』を手に取る）、どのページを開いて拾い読みしてみても愉《たの》しいですね。今日の対談に備えて書棚から引っ張り出してきたんですが、どこを読み返してもニヤニヤしてしまう。もっとも僕の場合、“暑苦しくて愉しい”というだけだったら推薦文はお断わりしたはずで……つまりはこの小説、実はたいへんトリッキーな要素を内包しています。

まあ、いきなり「女人禁制の館」の屋根裏から女子高生のさちちゃんが出てきたときは正直、カンベンしてくれと思ったんですよ、オジサン的には（笑）。そこはぐっとこらえて読み進めると、ぐいぐい引き込まれる。「少女キネマ」とは何か？　という大きな謎が全編を貫いていて、その解決に向けて物語が加速していくから、やっぱりこれはミステリだなと。解決に至るまでの道行きは熱度の高い青春小説になっていて、いろんなシークエンスがどれも面白いですね。特に終盤手前の、ベスパに二人乗りして逃走するエピソードは最高でしょう。その勢いでさらに読み進めたら、「あれあれ、こんなことをやっていたのかぁ」と意表をつかれてしまう。極めつきはオーラスで明かされるさちの正体。これにも僕、グッ

ときてしまって……「困った」わけです（笑）。

――で、書かせていただいたのがこのコメントでした。

「やれやれ。これだから若い連中は困る。莫《ば》迦《か》で阿呆《あほう》で熱苦しくて、真面目でロマンティストでキラキラしていて……本当に困る。面白くて可笑《おか》しくて、愉しくも切なくて、そのうえ謎や不思議や驚きまであって……感動してしまう。困るぞ、本当にもう。」

僕はこういった〝仕掛け〟が根っから好きな人間らしくて、だから枠組みが青春小説であっても恋愛小説であっても、ホラーであってもSFであっても、それを鮮やかに繰り出されるとほんと、弱いんです。

―― 当時、自分はオチを考えず、第一読者のつもりで書いたほうが多少は面白いものが書けるような気がしていて……実は、キネマ研究部部長の意外な役回りを知ったのは、ぼくと主人公はほぼ同時だったんです。

綾辻　へぇ、そうなんですか。最初から決めていたわけじゃなかったんだ。

一　小説の後半に疾走感が出たのは、ぼくがいちばん驚いていたからだったと思います（笑）。ですから、伏線はあとから加えていった形です。

綾辻　ああ、なるほど。書き下ろしで何度か稿を重ねているから、そういう手順で作り上げることができたわけですね。〝一筆書き〟でこんなにちゃんと伏線を張れるはずがないものね。

「エラリイ」の宣言に共鳴！

綾辻　角川書店の担当編集さんから、一さんは相当に本格ミステリを読んでおられるという話を聞いたのですが？

一　とんでもない！（急に声が小さくなり）ぼくが読んでいるのは綾辻先生と有栖川有栖《ありすがわありす》先生と「ファウスト」系ぐらいなんです。綾辻先生が島田荘司《しまだそうじ》先生の推薦でデビューされたことを知って初めて島田先生の作品に手をのばし、綾辻先生が何かのインタビューで連城三紀彦《れんじようみきひこ》先生のお話をされていたのを読んで連城先生の作品に初めて手をのばし……。本当に広く読んでいないので、今日この場に来ていいものかと気後《きおく》れしていたんです。

綾辻　そのようにして連城三紀彦を読んで、結果、『少女キネマ』のキーパーソンの名前が「才条三紀彦《さいじよう》」なんですね（笑）。——綾辻作品はいつごろ読まれたんですか？

一　大学生のときです。ぼくは小学生のとき

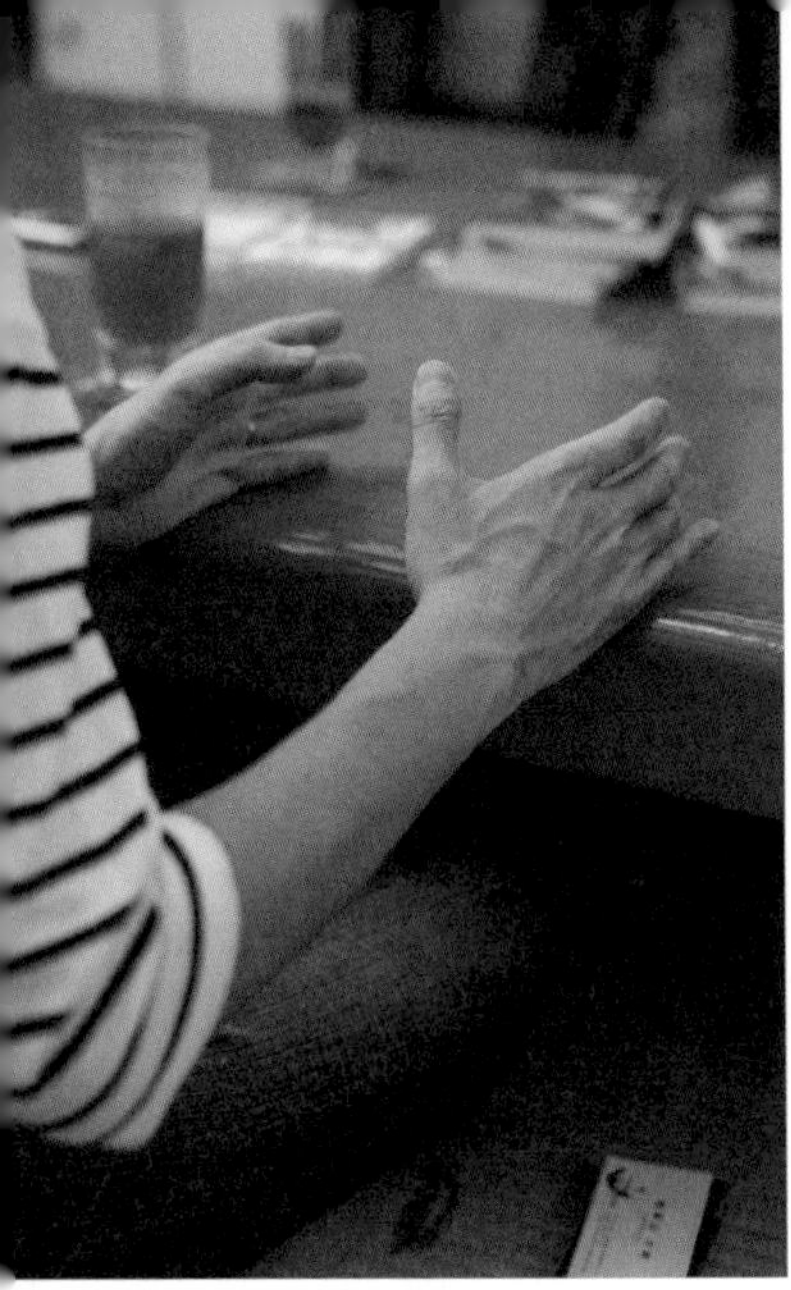

は本をよく読んでいたのですが、中学生になるとテレビゲームに夢中になって、すっかり本に親しまなくなりました。高校生になって、今度は女の子のほうに興味が移ってしまうと、ゲームからも離れてしまう始末で。

大学生になって、映画に興味が向かったときに、本をもっと読まなきゃいけないと思ったんです。でも、本当に活字から離れてしまっていたので、何から読めばいいか分からない。ぼくは小学生のころ、江戸川乱歩《えどがわらんぽ》が好きだったのですが、書店で『十角館の殺人』というタイトルを見たとき、「これは乱歩っぽいものじゃないか?」と直感だけを頼りに買って、読んだら引っくり返りました。

編集部　誰かに奨《すす》められたわけではなく、いわゆるジャケ買いで『十角館の殺人』と出会った?

一　そうなんです。作中に出てくる「エラリイ」の台詞《せりふ》は、当時ぼくが考えていたことを、そっくりそのまま言ってくれているように感じました。一字一句覚えているわけではないのですが、「ミステリにふさわしいのは、時代遅れと云《い》われようが、名探偵、大邸宅、怪しげな住人たち、血みどろの惨劇」云々《うんぬん》と宣言していましたね。

綾辻　ああ、はい。第一章の冒頭部分ですね。

「僕にとって推理小説《ミステリ》とは、あくまでも知的な遊びの一つなんだ」と始まって、「靴底をすりへらした刑事が苦心の末、愛人だった上司を捕まえる。――やめてほしいね」と言い放つ。ほんとに生意気な若者です（苦笑）。

―― ああ、こういうものをぼくは求めていたんだと思って、そのまま同世代である「エラリイ」に感情移入しながら読み進めたんです。

ぼくが建物を好きになってしまったのも「館《やかた》」シリーズの影響です。休日に変わった建物を自転車で見てまわるのが趣味になってしまったくらい。

綾辻 乱歩で一度覗《のぞ》いたミステリの世界へ、『十角館の殺人』を読んで戻ってきたと。

―― そうです。

綾辻 それはやっぱり、とっても嬉《うれ》しい話です。

―― 「館」シリーズでは『暗黒館の殺人』がいちばん好きなんです。

綾辻 おお、ありがとう。何を挙げてもらっても嬉しいものですけど、『暗黒館』はね、僕としては格別に思い入れの深い作品なんです。長期間かけて、とんでもなく苦労して書き上げた長編だったから。だから、あれを「いちばん好き」と言ってくれる人がいるともう、抱きしめたくなる（笑）。

―― 『少女キネマ』も、星海社で書いている『フェノメノ』も、ずいぶん建物の話だったりします。特にこだわりを持っていたつもりはないんですが、やっぱり自分の好きなものを書いてしまうみたいです。

綾辻 ところで、「一肇」っていうのは変わったペンネームなので、やはりここで由来を訊《き》いておきたいですね。

―― 最初は、乙一《おついち》さんみたいなシンプルなものがいいと思ったんです。「一」という漢字で「にのまえ」と読むらしいというので、本当は「二一」でニノマエハジメにしようと思ったのですが、それではふざけすぎだと言われ、下の名前は「肇」になりました。あとお恥ずかしいのですが、ひとつひとつ乗り越えていこう、という戒《いまし》めの意味もありました。

綾辻　乙一作品はやっぱり、お好きなんですね？

一　はい。ぼくは中学生のときに父を脳溢血《のういっけつ》で亡くしたんですが――乙一さんが「失はれた物語」（『さみしさの周波数』所収）という作品を書いてらっしゃって、それが植物状態の人の視点で書かれた話だったんです。あの当時、父は意識はあるのに体が反応できないだけなんじゃないかとずっと思っていたので、乙一さんのその作品に出会ったとき、とても胸に響いて、それからファンになったんです。

『フェノメノ』を読み逃すな！

綾辻　さっきタイトル名が出た『フェノメノ』も、現時点で刊行されている五巻まで、一気読みしてきましたよ。『少女キネマ』よりも軽めの文体で書かれたライトノベル風味の作品ですが、内容はけっこうヘヴィーで、これは言ってみれば、バリバリの「オカルトミステリ」ですね。僕は単なるホラーも好きだから、どれどれと思って読みはじめたところが、最初の「願いの叶《かな》う家」からいきなり驚かされる。単なるホラーじゃなくて、やっぱり構造はミステリなんだなあ。

連作中編的な構成で、ひとつひとつのエピソードに工夫を凝らした仕掛けがありつつ、それらが絡み合いながら大きな物語を形作って

いく。われわれが住む「こちら側」と霊たちのいる「あちら側」が存在する、という〝世界〟の中で、ミステリ的な冒険がいろいろ試みられています。かなりジャンルの枠を広げた恰好ですね。サイバーパンク的な要素も入ってきたりするし。

―　面白いと思ったものをすべて入れてしまいました。

綾辻　五巻目の『フェノメノ伍　ナニモナイ人間』には特に、本格ミステリとして感心しました。すごく変な、というか、アクロバティックな設定でアクロバティックな語り方がされているんだけれど、これをやるために四巻までがあったのかと思えるくらい、見事に技が決まっている。クライマックスは限定状況下のフーダニットになるわけですが……ああ、これ以上は駄目ですね。ネタに触れることなしにはどうしても語れない。とにかくみなさん、読んでみてください——としか言えないなあ。

次の第六巻で完結、なんですね?

一 はい。もう書きおえております。来月(二〇一五年六月十六日)発売予定です。

綾辻 いやあ、最終巻が出るのが待ち遠しくて仕方ない。(——と、顔を一さんにではなく録音機器に向けて)この『フェノメノ』のシリーズはぜひ、本格ミステリ好きの読者にも手に取ってもらいたいなあ。

一 (恐縮しながら)あらためて『フェノメノ』を読むと、綾辻先生の作風に似すぎていないかと不安に思うんです。今回この対談でお目にかかるので、過去の綾辻作品を読み返していたんです。中でも『フリークス』は、とにかく怖くて、自分の頭がおかしくなっていくような気がして、大学生時分はなかなか読めなかったんですよ。いま読むと「怖い」より「面白く」て。でも、その一方、作り手の視点から見てしまうところがどうしてもあって「こういうふうに書けばいいのだな」と分析が先に立つようになっているのが、ちょっと悲しいです。

綾辻 それは一さんが書き手に回ってしまった証拠ですね。特にミステリの場合、どうしてもそうなってしまう。

僕の作風と似すぎていないかなんて、ぜんぜん気にする必要はないでしょう。逆に僕のほうが、こういうのを書いてみたいな、と刺激されています。いや、本当に面白いですよ、『フェノメノ』は。小野《おの》(不由美《ふゆみ》)さんにも「これ、とにかく読んでみて」と奨めてあるんですが。そういえば、小野さんに『ゴーストハント』というシリーズがあるんですが、『フェノメノ』はあれを彷彿《ほうふつ》とさせるところもありますね。『ゴーストハント』は読んでおられますか。

――はい。ネット掲示板に「『ゴーストハント』みたいで面白い」という意見が書き込まれていたそうで、調べてみると小野先生の本でした。それで読んでみたところ、「ああ、こう書くべきだったのか」とガックリきてしまって……森見さんの作品にショックを受けたときと同じですね。

綾辻　まあまあ、そう毎回ガックリしなくてもいいと思いますが（苦笑）。ぜんぜん遜色《そんしょく》のない作品になっていると思いますから。『ゴーストハント』はオカルトもののライトノベルと見られる一方で、麻耶雄嵩《まやゆたか》さんなんかは「あれは本格ミステリでしょう」と評してはばからない。だから『フェノメノ』も、あれは本格ミステリだと胸を張って奨めてもいいシリーズだと思うんです。

編集部　全六巻（文庫化に際し、全五巻に再編）の設計図は最初から決まっていたんですか？

――それが、ぼくはプロットをちゃんと立てられない性分で、基本的に先がどうなるのか手探りで書いているところがあるんです。ただ、『フェノメノ』については、ラストはこうなるだろうという見通しはあったので、そこに向かって彫刻のようなイメージでそろそろと彫り進めてきた感じです。

でも、二巻と三巻に登場する篁亜矢名《たかむらあやな》は、これほど重要なキャラになるはずではなかったんですよ。イラストレーターの安倍吉俊《あべよしとし》さんが描いてくださった篁の絵が本当に素晴らしくて、キャラが勝手に膨らんできてしまったんです。

ニノマエハジメの注目の仕事

綾辻　ニトロプラスという会社には、アニメ『魔法少女まどか☆マギカ』のシナリオを書いた虚淵玄《うろぶちげん》さんも在籍しておられるんですよね。で、一さんが『まどマギ』のノベライズを担当されている。

一　ぼくにノベライズの声がかかった時点では、まだアニメになっていなかったんです。放送が始まってまもなく人気に火がつき、ノベライズをするのはとても気が重かったです。

綾辻　ライトノベルの枠に収まらない長編小説の二作目『黙視論』を「文芸カドカワ」に連載されていましたが、それを本にまとめるより先に、新たにノベライズの仕事をされると聞いています。

一　『黙視論』を書き直さなければという話をしているときに、ぼくがもともとファンであった、三部《さんべ》けい先生の漫画『僕だけがいない街』のノベライズの話が舞い込んだんです。うちの社長には「せっかくオリジナルをやらせていただける環境になってきたのに」とやんわり反対されたのですが、原作を読んでもらったところ、「これはぜひ、やるべきだ！」と（笑）。

綾辻　『僕だけがいない街』は僕も読んでいます。あの漫画は「ＳＦミステリ」ですね。第五巻の帯には、法月綸太郎《のりづきりんたろう》さんが推薦文を寄せてましたっけ。ちょっと変わったＳＦ的な設定を用いながらのサスペンスミステリだから、このタイプの物語はきっと、一さんにはとても向いていると思います。でも確か、漫画のほうはまだ連載中で終わっていないのでは？

―― はい。ストレートなノベライズではなくて、オリジナル要素が強いもので書かせていただくつもりでおります。

綾辻　ははあ。そこまでノベライズに意欲を燃やすところは、乙一の血を引いている気がする(笑)。その仕事が終わったら、ちゃんと『黙視論』を完成させてね。

―― 努力します。

綾辻　「これを書いたらやめる」的な気持ちはもうなくなりましたか。

―― ……いえ、以前よりなぜか、モノを創っていい人と創ってはいけない人がいるのではないか、という気持ちがあるんです。本屋さんに行くと、たくさんの本があるじゃないですか。ここに自分の一冊が加わる意味があるのだろうか、自分は創っていい人なのだろうかと、たまに考えてしまうときがあります。ぜひ綾辻先生にお聞きしたかったのですが――ぼくは書いている途中で必ず一回くらいはエアポケットみたいな状態に入ってしまって、この小説を完成させる意味があるのだろうかと悩んでしまうんです。そういう経験はありませんか。

綾辻　「意味があるかどうか」までは行かないけれど、今でも連載の締切が迫ってくるたびに、「もうこの作品は無理なんじゃないか、完成させられないんじゃないか」と音を上げたくなることはしばしば、です。

―― そこからどうやって脱出されるんですか?

綾辻　とりあえず寝ます。寝て、忘れる(笑)。今でもよく覚えているのは、『暗闇の囁《ささや》き』を書いていたときのことです。あの長編は、僕にしてはかなりの短期間で書き上げたんです

よ。当時はまだ新人で、プロなんだから三ヵ月くらいで仕上げなきゃ駄目だとお尻を叩《たた》かれて書きはじめたんだけど、なかなか思うように進まない。当時住んでいたマンションの、和室の畳の上に寝転がって頭を抱えて、「本当に駄目だ。どう頑張っても無理。これはきっと完成させられないんだ」と絶望的な気持ちになって……それでもまあ、そういうときはとりあえず寝ちゃって、嫌な気持ちをリセットしたら、どうにかまた書き進められたりするもので。焦りすぎないことが肝心なんだろうな。それからそう、「この作品、果たして売れるだろうか」なんてことはあまり考えない(笑)。

一さんはすでに充分、読者をエンターテインする筆力を持っておられるから、気後れせずにがんがん書けばいいと思いますよ。周到に特殊設定を考えたうえでのオカルトミステリやSFミステリは僕、好きだから、『フェノメノ』の最終巻も『僕だけがいない街』のノベライズも楽しみにしてますけれど、ここではあえて、特殊設定ものじゃない、現実ベースの本格ミステリにもいずれ挑んでみてね、とリクエストしておきましょう。

一　ぼくはクローズドサークルものが好きで、自分でも書いてみたいと思って、いろいろ考えてみたことはあるんです。けれど、綾辻先生の二番煎じにしかならないネタしか思い浮かばなくって。

綾辻　そうなの？　でも、トリックに関しては、優れたヴァリエーションであれば「二番煎じ」とは言わないから。少なくとも僕は、そうは思わない。すでに使われているトリックをベースにしつつも、その先に独自のひねりがあるとか、いくつかのトリックを面白い形に組み合わせるとか……。

　先達の遺産と真摯《しんし》に向き合って取っ組み合って、あれこれと書きながら探していれば、どこかで前例のないすごいネタが見つかるかもしれない。——なんて、あまり僕も人に教えられる立場じゃなくて（苦笑）、自分もまだまだ頑張って探さなきゃいけないんですけどね。

（二〇一五・五・八　於／京都・津田楼）

from 一肇

おそろしい。京都で綾辻先生とお話をさせていただいてからもうどれほど経《た》ってしまったのだろう。東京駅からすでに緊張し続けていた自分は、京都につき、お会いすると同時にかけていただいた先生のあたたかなお言葉で一気に緊張がほどけてしまい、気がつくと喋《しゃべ》らなくてもよいことまでひたすら喋っていたような心地がいたします。お見苦しいところをお見せいたしました。『少女キネマ』『フェノメノ』と二作続けてご推薦文を戴《いただ》いたご恩は忘れておりません。

現在、ゲームシナリオに従事しておりまして、しばらく小説を書くことができませんが、必ずまたあの孤独で清貧な戦いの場に戻りたいと思います。

⦿この対談で触れられていた書籍（登場順）

一肇『桜ish―推定魔法少女―』全2巻（角川スニーカー文庫）
一肇『少女キネマ』（角川文庫）
森見登美彦『夜は短し歩けよ乙女』（角川文庫）
綾辻行人『十角館の殺人〈新装改訂版〉』（講談社文庫）
綾辻行人『暗黒館の殺人』全4巻（講談社文庫）
一肇『フェノメノ』全5巻（星海社文庫）
乙一『さみしさの周波数』（角川スニーカー文庫）
綾辻行人『フリークス』（角川文庫）
小野不由美『ゴーストハント』全7巻（角川文庫）※2021年6月完結予定
一肇『魔法少女まどか☆マギカ』上下（虚淵玄監修、Magica Quartet原作／星海社文庫）
一肇『黙視論』（KADOKAWA）
三部けい『僕だけがいない街』全9巻（カドカワコミックス・エース）
一肇『僕だけがいない街 Another Record』（三部けい原作／角川文庫）
綾辻行人『暗闇の囁き』（講談社文庫）

一 肇（にのまえ・はじめ）

PC用ゲームメーカーのニトロプラスに所属するクリエイター。

2007年、『桜ish《チェリッシュ》―推定魔法少女―』で小説家デビュー。2011年には、大ヒットアニメ『魔法少女まどか☆マギカ』のノベライズを担当した。オカルトマニアの青年が数々の怪異に遭遇するホラーシリーズ『フェノメノ』（2012年～15年）は、ミステリ的な仕掛けも鮮やか。『少女キネマ』（14年）では映画という魔物に魅入られた若者たちの迷走ぶりを描いて強烈な印象を残す。

綾辻行人がホスト役を務める
「京都対談」第五弾！
ゲストの葉《は》真《ま》中《なか》顕《あき》は、老人介護の問題を
テーマに据えた『ロスト・ケア』で
第十六回日本ミステリー文学大賞
新人賞を受賞した新鋭。
対談の幕が上がって早々、
ホスト役から「今回は社会派を迎え撃つ」
と不穏な宣言が飛び出すが——。

綾辻行人 × 葉真中顕

Ayatsuji Yukito　Hamanaka Aki

†

綾辻　この「京都対談」は、綾辻が注目している気鋭のミステリ作家を京都にお招きして、ごにょごにょとミステリの話をしながら美味《おい》しいものを食べよう、という企画です。今日おいでいただいた葉真中顕さんは、作風からすると異色のゲストですね。今回は僕が「社会派」を迎え撃つ回だなあ、と――。

葉真中　いやいや!

綾辻　――と、いちおう言ってみましたけど(笑)。社会派ミステリには違いないけれども、『ロスト・ケア』は単なる社会派じゃないので。

僕は第十三回(二〇〇九年)から四年間、日本ミステリー文学大賞新人賞の選考委員を務めて、それぞれに印象深い受賞作を世に送り出せたのですが、最後の年(一二年)に『ロスト・ケア』を読んだときは本当に感動しました。現代社会が今まさに直面している高齢者の介護問題を軸にしながら、「正義とは何か」「善とは何か」という大きなテーマに正面から向き合っておられます。ところが一方で、相当にあこぎな大仕掛けをプロットに潜ませて、読者を騙《だま》しにかかっている。その心意気に感服したわけで。これ、たとえこの仕掛けがなかったとしても、上質な社会派作品として面白く読めちゃうんですよね。それでも僕は高く評価したと思うんだけど。

編集部　顧客データの統計から犯人を絞り込むところも新鮮でした。

綾辻　あ、それもありましたね。あそこは実にスリリングで鮮やかな論理展開で、「おお、こういう手があったか」と膝を打ちました。

葉真中　海外ドラマに『NUMB3RS《ナンバーズ》　天才数学者の事件ファイル』という作品がありまして、そこから着想を得ているんです。数学者がミステリ的な推理ではなく統計とか数学的な論理で犯罪を捜査してゆく。実際にFBIの捜査でも用いられている手法が紹介されていたドラマでした。

わたし自身、本格的なトリックを最初から考えていたわけではなかったんです。ただ、ミステリの新人賞に応募するだけに、謎解きの面白さがなくてはいけないという意識は当然あったんです。統計から犯人を絞り込むようなミステリ小説は、少なくともわたしはこれまで読んだことがなかったし、そもそも「統計データで何それが分かる！」なんて類《たぐい》の新書が好きだったもので（笑）、面白いものができるのではないかと。リアリティ重視の社会派作品なのに、探偵役が超人的な推理で真理に辿《たど》り着いてしまうのでは違和感があるとも思いました。

どの新人賞に応募できるかな？

綾辻　葉真中さんは一九七六年の生まれ、ですね。

葉真中　そうです。三十九になりました。

綾辻　大学では何を？

葉真中　学部は教育なんですが、学生時代は映画研究会に所属していて、映画鑑賞と映画制作に青春をほぼ費《ついや》しました。

綾辻　選考のあとで知ったんですが、すでに『ライバル　おれたちの真剣勝負』という作品で第一回（二〇〇九年）角川学芸児童文学賞優秀賞を獲《と》っておられたんですね。これはどういう小説なんですか。

葉真中　わたしの趣味のひとつが将棋なんです。主人公の少年が将棋を通してライバルを発見し、本当の自分自身と向き合っていく作品です。ミステリ的な仕掛けは全然ありません。

大学を卒業してからアルバイト的なライターのほか、いろいろな仕事をしながら、有名な文学賞を狙おうと何度か書きはじめたことはあったんです。でも、だいたい最初の百枚いくかいかないかくらいで筆が止まってしまう。そうこうするうち、気づいたら三十で、結婚なんかもしたりして。このままだと一生書けずに終わると思って一念発起したものの、それでも長編小説を書き上げることはイメージできなかった。そのとき「公募ガイド」誌を見ていたら、子ども向けのもので百枚でも応募できる賞があったんです。百枚なら仕事をしながらでもと頑張って書いたのが『ライバル』で、幸い受賞することができました。ただそれで専業作家になれるわけではない厳しい現実がありまして(笑)、さらにそこから『ロスト・ケア』まで五年くらいかかっているんです。

綾辻　その間、漫画原作なんかも手がけておられたようですね。

葉真中　そうなんです。『ライバル』での受賞を機にライターとしての依頼も増えるようになり、そういう仕事をしっかり回しながら、いずれは専業作家になろうと考えるようになりました。

綾辻　なぜ、そこでミステリだったのか？　また、応募したのが日本ミステリー文学大賞新人賞だったのか？

葉真中　わたしの中で、ミステリとエンターテインメントはほぼ同義だったということです。そもそもミステリが好きで、毎年、年末のムック本を参考にランキングのベストテン作品を読みつぶしていたくらい。やはり勝負するなら大人向けのミステリしかないと。もともと社会問題全般に興味があったんですが、『ロスト・ケア』の構想当時、訪問介護最大手のコムスンが介護報酬の不正請求をおこなっていた事件に社会的な関心が高まっていたこともあり、介護と少子高齢化問題を取り上げて自分の限界まで精一杯書いてみようと決めたんです。

綾辻　どうして江戸川乱歩《えどがわらんぽ》賞じゃなかったのでしょう？

葉真中　……（一瞬、目を泳がせながら）これは光文社の担当編集者さんもいる前で話しづらいのですが、当初は（二〇一二年）一月末日が締切の乱歩賞への応募をめざしていたんです。ところが、単純な話、期限に間に合わなかった。

ちょっと下世話な話ですけれど、賞金五百万円以上の賞レースに応募しようと決めたんです。五百万あれば次の作品を書くのに一年間執筆に集中できると皮算用して、応募の対象を江戸川乱歩賞、日本ミステリー文学大賞新人賞、松本清張《まつもとせいちょう》賞の三つに絞った。本命はやっぱり歴史もある乱歩賞だったんですけれど、それに間に合わなかった時点で、五月十日が締切のミステリー文学大賞新人賞に狙いを変更。もしそれにも間に合わなかったら、十一月まで頑張って清張賞に出そうと。それで、忘れもしない、五月の連休中に書き上がったので――。

綾辻　なるほど。要はたまたま、だったわけですね（笑）。

編集部　「選考委員に綾辻さんがいたからです」と
ここで言えば美談ですけれど（笑）。

社会派と本格の接近

葉真中　ああ……（ためらいを振り切るように）これは
今日の対談で、ぜひ言っておかなくては。失
礼を承知で申し上げるんですが、日本ミステ
リー文学大賞新人賞の選考委員の顔ぶれ（※当
時の委員は綾辻行人、近藤史恵《こんどうふみえ》、今野敏《こんのびん》、藤田宜永《ふじたよしなが》の四
氏）を見たとき、「綾辻さんがいる。きっとこ
の先生が壁になるに違いない」と思ったんで
す。

綾辻　壁っ!?　というのはつまり、綾辻はこの
作品を嫌がるに違いないぞ、と?

葉真中　はい。ですから、綾辻先生が高評価して
くれたときはものすごく嬉《うれ》しかったんです。
『十角館の殺人』の中でエラリイ青年は、かな
りアグレッシヴに社会派ミステリを批判して
いました。「汚職だの政界の内幕だの、現代社
会のひずみが産んだ悲劇だの、その辺も願い
下げだ」云々《うんぬん》と。それには作者の意思も当然
込められているはずで、手厳しい評価を受け
るだろうと予想していたんです。社会派作品
の中に仕掛けたトリックをどのように受け止
めていただけるか分からなくて、ドキドキし
ていました。

綾辻　なるほどね。でも、社会派についてのエ
ラリイの発言は、一九八〇年代の状況を反映
してのものなので（笑）。これにはいろいろな
見方があるけれども、六〇年代の社会派の隆
盛以降の流れで、当時はまだ本格ミステリに
とって「冬の時代」が続いていた、という認
識があったんですね。横溝正史《よこみぞせいし》ブームや「幻

影城」ムーヴメントがあったとはいえ、それでも基本、社会性や現実性のない「本格探偵小説」は低く見られがちで、新作の数も絶対的に少なかった。だから、ことさらのようにああいう極端な台詞《せりふ》を言わせてみたのでしたが、あれからずいぶん時が流れて、状況はすっかり変わりましたから。

新人賞の選考はこれまでたくさんやってきましたけれど、たとえば『ロスト・ケア』同様にバリバリの社会派作品である薬丸岳《やくまるがく》さんの『天使のナイフ』（第五十一回江戸川乱歩賞受賞作）にしても、たいへん高く評価しています。選考に臨むさいは、ひとまず自分の〝好み〟は措《お》いておいて、作品の良し悪《あ》し・出来不出来をなるべく客観的に測ろうと努めているので。

葉真中　失礼な思い込みをしていたと思います。

綾辻　でもね、そういうスタンスの問題を抜きにしても、『ロスト・ケア』は抜群に面白かった。何というか、この小説には形而上的なまなざしがあるんですよね。主人公の検事をクリスチャンにして、聖書の引用を要所要所にちりばめたりもすることで、リアルな社会問題や善悪の問題と主人公が格闘する様子を形而上的な視点から捉えようとする。そういう姿勢が一貫しています。こんな社会派ミステリは、なかなかない。

葉真中　『ロスト・ケア』も『絶叫』も、主人公が信仰を獲得する話だったりもするんです。どちらの作品でも哲学論争の部分にけっこう力を入れていたので、そうした形而上の部分を拾って評価していただけるのはすごく嬉しいです。

綾辻　良い選考委員でしょう？（笑）　でも、お世辞じゃなく、真摯《しんし》なこの取り組みは素晴らしいと感じました。

　まったくアプローチは違うんだけれど、僕がかつて『暗黒館の殺人』で描こうとした〝不死〟というテーマにも通じているんですね。死にたいのに死ねない、ぐずぐずになってもえんえんと生かされてしまう命、という意味での不死。あれって実は、現代社会の、肉体や精神はどんどん老いていくのに死なせてもらえない、という状況のメタファーのつもりで書いたようなところがあった。僕の場合は「暗黒館」というある種の異空間を造ってしまって、その中で思考実験をしてみたわけですが、『ロスト・ケア』はあくまでもリアルで同時代的な問題として、それを真正面から描ききろうとしています。

　加えてやはり、ラストのあの驚き。「あ、やられたっ」と不覚の声をもらして、慌ててプロローグを読み返してみたら、何ともぬけぬけと、アンフェアすれすれの書き方で仕掛けている。ほんとにもう、参りましたよ（苦笑）。

　どの賞に投じても、これは受賞したんじゃないですか。もう一年待って乱歩賞に出しても、きっと。

葉真中　これも縁ですから（笑）。
『ロスト・ケア』は、本格的なトリックと社会派の融合、という評価をされるんですけれど、いろいろな要素の混合《ミクスチュア》ということは、いつも考えているんです。形而上的なこととか、ちょっと衒学《げんがく》的な話とかも織り込んでゆきたい。これはわたしの考えなんですが、三十年近く前は相容《あいい》れなかった社会派と新本格派の要素はだんだん混ざってきているのではないか。本格ジャンルの特に叙述トリック面での成果は、いわば基礎科学みたいなもので、普通小説まで含めて応用されていると思っているんです。社会派の現代ミステリを書く場合も、先人の仕掛けのあり方とか様式美を貪欲に取り入れながら自分なりのスタイルを作っていかないと生き残れないんじゃないかと。

綾辻　かなり意識的に、計算ずくでプロットを作り込んでいるわけですね。世代が違ったりジャンルの好みが違ったりすると、こういう仕掛けを嫌がる人もいるじゃないですか。「作者の、読者を騙そうという手つきが嫌いだ」みたいな(笑)。でもね、ミステリなんだから、僕はそれを恰好《かっこう》いいと思う。

現実と闘う叫び声が聞こえる

編集部　受賞後一年と八ヵ月で二作目の『絶叫』が刊行されました。惜しくも受賞は逃しましたが、吉川英治《よしかわえいじ》文学新人賞と日本推理作家協会賞の候補にも挙げられ、注目を集めています。

綾辻　『絶叫』もやっぱり社会派なんですね。読んで、大変に苦労して書かれたんだろうなと思いました。主人公の陽子《ようこ》に対して誰かが「あなた」と話しかけているような、この二人称の語りを、僕は面白く読めたし、仕掛けにも充分に驚かされましたよ。

葉真中　『絶叫』は一人の女性の死から始まってその半生を語ってゆくわけですが、これは一個のジャンルだと言っていいほど先行作品がいっぱいあるんです。宮部《みやべ》みゆきさんの『火車』を筆頭に。

綾辻　そうですね。やっぱり『火車』は思い出してしまう。

葉真中　どうしても歴史に残る先行作品と比べられるのは仕方ない。違うアプローチをしないとエピゴーネンになってしまう。では、どういうやり方があるかと試行錯誤するうち、ヒロインの半生を二人称で書くスタイルを思いついて、これで結末の意外性を演出できるのではないかと。内容がワイドショー的だと批判を受けるかもしれないけれど、いわゆる貧困ビジネスに焦点を当てた、こういう物語が今の時代に求められているはずだと自分なりに確信を持てたので吹っ切れて書けました。

綾辻　この作品には、「自然現象」という言葉がしばしば出てきますね。これがとても優れていると思う。どうかすると本当にワイドショー的なアイテムの切り貼りになりかねないところを、要所要所で陽子の前に現れる「幽霊」が、「自然現象」という言葉を用いながら俯瞰《ふかん》的な分析をしてみせる。これが葉真中さんならではの味を出していますね。全体的にとにかく暗くて救いのない話だけど、最後は不思議と爽快だったりも（笑）。

葉真中　ラストシーンが浮かんだときに、これで勝負しようと思えたんです。もちろん、人によって好き嫌いが出てくるのは当然の作品だと分かっているんです。それでも、この作品の世界を許容してくれる人が、「最後まで読んでよかった」と思えるような結末を用意したつもりです。

綾辻　同じこの現代社会を舞台に、『ロスト・ケア』では介護ヘルパーの斯波《しば》の闘いを、『絶叫』では若い女性の貧困問題を象徴する陽子の闘いを描いておられます。闘い方はそれぞれ違うけれども。

葉真中　わたしは「正しくない人」や「正しくな

れない人」を描きたいんです。どうしても暗い話になりがちなんですが、いわゆる社会正義から外れるよりほかなく、そうすることで何かを〝超えてしまう〟人たちを描きたい。さらに、哲学的、形而上的なことについて自分なりの理屈もあったりするので、そういうものをうまくちりばめながら、小説という作り物の中で自由を謳歌《おうか》したい、と。

綾辻　葉真中さんが今後、この社会派路線でどんな闘いを描いていくのか、大いに注目しています。こればっかりだときついだろうから（笑）、他の路線でもいろいろ書いていったほうがいいと思うけれど。

社会派ミステリは量産できる!?

編集部　作風の幅は、短編作品にまず表れているようです。日本推理作家協会の年鑑『ザ・ベストミステリーズ２０１５』に収録された「カレーの女神様」は、ありがちなボーイ・ミーツ・ガールの〈日常の謎〉派と思わせておいて、後半、だいぶ様子がおかしくなる（笑）。意地の悪さが突き抜けて、爽快感に転じていました。

葉真中　「小説現代」誌ではパニック・ホラーの長編を書かせてもらっています。先ほど綾辻先生にもアドバイスをいただきましたが、正直、社会派の路線だけだとしんどいので、作家として幅を広げたいんです。

『ロスト・ケア』と『絶叫』で生々しい社会問題を取り上げたので、次もまた、という期待もあると思うのですが、気楽に量産していいものではないという考えも持っているんです。あらゆる社会問題には困難を抱えている社会的弱者の方がいるわけで、その当事者が作品を手に取る可能性がある。介護の現場にいる方が『ロスト・ケア』を読んで、この小説に書かれていることはひどすぎるという感想を持たれたり、実際に苦しんでいる方だとミステリのネタになどされたくないと不快に思われるかもしれない。それでも世に出せる内容の小説だと確信を持てるのでなければ、こういう社会派作品は軽々に書いてはいけないのだと。まあ、そうは言っても、職業作家としてはコンスタントに作品を出さないとやっていけないですから、長編でも短編でも、いわゆる社会派とは違う傾向のものに挑戦させてもらっている状況です。

綾辻　真面目な作家ですねえ、葉真中さん。社会問題や時事問題って別の意味でも取り扱いが難しくて、いくらリアルに時代を切り取れたとしても、ものによっては五年も経《た》つと古びてしまう。だから、僕なんかはあまり近寄らないようにしているんですが。

葉真中　さっきの発言と矛盾するようですが、社会というのは日々変わってゆくので、新しい切り口は次々生まれてくるという見方もできるかな、と。陳腐化するのは早いかもしれませんが、現代のさまざまな社会的事象を扱ったミステリは、時代を記録する風俗小説的な価値があるはずだと思っています。

綾辻　葉真中さんの作品には、普遍的なものを求めるまなざしがしっかりと織り込まれています。そこは強みですね。五年や十年で作品が風化してしまうかどうかはきっと、そのまなざしの強度で決まってくるんだろうと思います。

職業作家を長く続ける秘訣《ひけつ》

葉真中　綾辻先生にお伺いしたいことがあるんです。安定して原稿を書きつづけるために心がけておられることが何かあるでしょうか。

綾辻　（思わず苦笑して）それ、僕に訊《き》きます？　もう足かけ二十九年のキャリアになるんだけれども、数えてみたら長編は二十作。短編集やエッセイ集なども含めて均《なら》してみても、一年に一冊程度のペースですね。よくこれで、専業でやってこられたものです。

とはいえ、デビュー後の何年かはけっこう頑張って、年に二冊くらい出していたなあ。当時のミステリは「ノベルス」が主流で、各社が毎月の刊行点数を競い合うような時代だったから、それでも「遅い」と叱られていましたが（笑）。あのころに比べると出版界の状況もずいぶん変わりましたね。今はたぶん、腰を据えて年に一作、力のある球を投げることが肝心なんだろうと思います。葉真中さんの場合、最初に投げ込んだ剛球が多くの読者に届いているんだから、そこは自信を持ってブレないでほしいですね。

あと、自分が〝読み手〟として信頼する相手を何人か心に定めて、それ以外の声はあまり気にしないこと。僕がデビューしたころは、一般読者の声は「愛読者カード」の回答かファンレターでしか聞こえてこなかった。ところが今では、インターネット上ですぐにいろいろな反応が見えてしまう。それらをいちいち気にしていたらきりがないでしょう。僕の場合は、同居人の小野《おの》（不由美《ふゆみ》）さんと何人かの編集者の声を大事にしてきました。

葉真中　それは、信頼できる方を具体的に読者として想定するということですか。

綾辻　そうです。そもそも『十角館の殺人』を世に出してくれた講談社の宇山秀雄《うやまひでお》（＝日出臣《ひでおみ》）さんが、「他の人はどうでもいいから、まずボクを驚かせてほしい」と確信をもって言う人だったの。だから当時、万人に受けそうなものを、ということは考えなかったですね。まず宇山さんを驚かせてやろう、小野さんに褒めてもらおう（笑）……と、そんな姿勢で原稿を書いていた気がします。

葉真中　読者の全体像って、よく分からないものですよね。ネット社会の時代なので、わたしは顔の見えない読者からの反論を想定しながら書いてしまうことがあるんです。でも、そんなふうにいろいろな声を聞きすぎると迷い

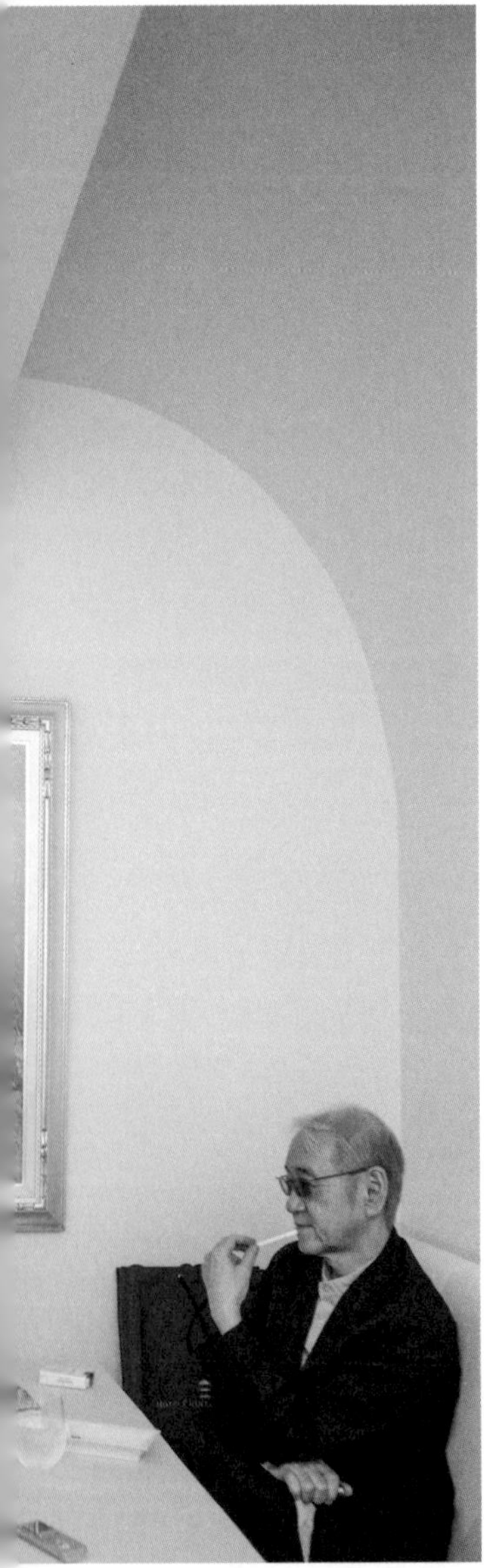

葉真中　綾辻先生は歴史の生き証人みたいな方なので、あえて対談の趣旨と外れてしまう質問をするんですが、新本格のムーヴメントが起こったとき「新しいことを始めるんだ」という意識は持たれていましたか。

綾辻　「新しいこと」というよりむしろ、最初は古典復興《ルネッサンス》の意気込みがあったんだと思いますね。古き良き本格ミステリを今の時代に書いが生じるわけですね。

綾辻　僕はそう思いますよ。まず、顔の見える、信頼できる相手のミットに向かって投げるのが最善だろうと。しかしまあ、「新本格」というのは特殊なムーヴメントだったので、当初はどんな球を投げても怒る人たちがいたわけで、仮想敵というのも一方で存在しましたが（苦笑）。

て何が悪いの？　という。

当時の日本のミステリ界って、いわゆる進歩史観が支配的だったんです。五〇年代の終わりに松本清張が登場して、自然主義的なリアリズムを重視する手法を導入して広範な読者を獲得したことで、それまでの「古い探偵小説」が「新しい社会派推理小説」に進歩した。だから、江戸川乱歩や横溝正史が好んで書いたような「お化け屋敷」的なミステリはもう時代遅れで、不要でさえある、と批判する向きもあって、そういう価値観がたぶん八〇年代にはまだ根強く持たれていたように感じます。まあ、『十角館』の刊行から十年も経たずして状況は変わり、九〇年代の後半あたりになるともう、本格対社会派という構図もさほど意味がなくなった感じでしたが。

葉真中　ミステリに進歩史観があったというのは非常に興味深いです。

綾辻　当時はそれが一般的な認識だったと思いますよ。少なくとも編集者や評論家には、そういう考えの人が少なくなかったようです。

乱歩賞に投じる目的で『十角館の殺人』の原型になった長編を書いたときも、ミステリマニアの学生たちが孤島へ行って連続殺人発生！　なんて小説が今どき本になるわけないよなあ、と思っていたんですよ。ところが、八七年に『十角館』が出ると、僕と同じように本格ものを書きたいと思いつつ雌伏《しふく》していた同世代の書き手が次々に現れて、読者にも大いに歓迎された。当時、そのような進歩史観に囚《とら》われていた人たちは、完全に状況を見誤っていたわけです。

葉真中　それは、当時の読者の一人として、まったくそうだったと思います。

綾辻　『ロスト・ケア』が好評をもって迎えられたのは、これほどリアルに現実の社会問題と格闘する話でありながら、ミステリ的な大仕掛けもあって驚かせてくれる、というところに読者のニーズがあったからでしょう。いや、やっぱり素晴らしい達成ですよ、『ロスト・ケア』は。この作品のラストシーンを思い出すとね、「そうか。人はこんなときに祈るのか」と感じ入って、今でもほら、泣きそうになってしまう（笑）。

（二〇一五・九・十一　於／京都・祇園《ぎおん》キャレドミュー）

from 葉真中　顕

綾辻先生と対談させていただいたのはミステリ作家としてデビュー3年目のこと。久々に訪れた京都は蒸し暑く観光客でごったがえし、鴨川《かもがわ》の畔《ほとり》にはカップルが鈴なりになっておりました。コロナ禍《か》のただ中にある2020年現在、あれは実に京都らしい京都だったと、失われた情景に思いを馳《は》せずにおれません。

当時の私は2作目をなんとか上梓《じょうし》したものの3年で2冊という筆の遅さでこの先作家としてやっていけるのか不安を感じており、勢い余って「安定して原稿を書きつづける秘訣はありますか」という趣旨の質問をし「それ僕に訊く？」とつっこまれたことは今でも覚えております（笑）。

しかし何でも訊いてみるもので、このときいただいた「寡作でも力のある作品を投げ込めばよい」というアドバイスを糧に、私は今日まで遅筆ながらどうにか作家業を続けております。対談でも触れられている通り、綾辻先生は新人賞で選んでいただいた縁もあり、二重の意味で業界の恩人と密《ひそ》かに思う次第です。

◉この対談で触れられていた書籍（登場順）

葉真中 顕『ロスト・ケア』（光文社文庫）
はまなかあき『ライバル　おれたちの真剣勝負』（角川学芸出版）
綾辻行人『十角館の殺人〈新装改訂版〉』（講談社文庫）
薬丸 岳『天使のナイフ』（講談社文庫）
葉真中 顕『絶叫』（光文社文庫）
綾辻行人『暗黒館の殺人』全4巻（講談社文庫）
宮部みゆき『火車』（新潮文庫）
葉真中 顕『政治的に正しい警察小説』（小学館文庫）※「カレーの女神様」収録

葉真中 顕（はまなか・あき）

1976年、東京都生まれ。

2009年に『ライバル』で第1回角川学芸児童文学賞優秀賞を受賞し、翌年同作で児童文学作家としてデビュー（はまなかあき名義）。2013年、老人介護の問題を扱った『ロスト・ケア』で第16回日本ミステリー文学大賞新人賞を獲得。切実な社会派テーマとスリリングな謎解きを高度に融合させるのが持ち味である。2019年、『凍てつく太陽』で大藪春彦賞と日本推理作家協会賞の二冠に輝く。

現代ミステリ界の第一人者、
綾辻行人がこの対談企画で初めて
年上の新人作家を京都に招く。
九つ年長のゲストは、二〇一一年に
『クリーピー』で日本ミステリー文学大賞
新人賞を獲得した前川《まえかわ》 裕《ゆたか》。
法政大学で教授職にある
〝先生〟を迎えて、今回の対談は
どうもいつもと勝手が違う!?

綾辻行人 × **前川 裕**

Ayatsuji Yukito　　Maekawa Yutaka

†

綾辻　この「京都対談」も第六回になりますが、今回初めて自分より年上のゲストをお迎えしました。東京から遠路はるばる、ありがとうございます。

前川　こんな年寄りで、申しわけありません（笑）。

綾辻　前川先生は第十五回日本ミステリー文学大賞新人賞に『クリーピー』を投じられ、川中大樹《なかひろき》さんの『茉莉花《サンパギータ》』と同時受賞でデビューされています。当時、僕は選考委員の一人で、応募原稿を読んだのが二〇一一年の秋でしたから……あれからもう四年半ほど経《た》つんですね。あの選考会では僕、『クリーピー』推《お》しでずいぶん頑張ったんですよ（笑）。他の方々は、どちらかというと否定的だったので。

この賞の予選委員のあいだでは、「おなじみの前川さん」だったそうですけれども、『クリーピー』は何度目の応募だったんでしょうか。

前川　ええっと、間が空いたこともありましたが、日本ミステリー文学大賞新人賞には五、六回は投稿しました。でも、作品の出来にはずいぶんムラがあったと思います。受賞作を除けば、最終候補に残ったのは一回きり。一次予選さえ通過できなかったこともあるんです。だから、「おなじみ」といってもコンスタントに最終候補に残るような「実力者」ではぜんぜんなかったですから。

「終わりの研究」とミステリ

綾辻　前川先生は一九五一年の生まれで、僕より九つ年長。法政大学で長く教授職を務めておられます。大学に勤務するかたわら、ずっと小説を書いてらしたのですか？

前川　そうですが、書きはじめたのは遅いですね。最初の応募が四十の坂を越えたくらい。職業柄、純文学系の作品は国内外ともよく読んでいたのですが、エンターテインメント系の小説はそれほど読んでいませんでした。ですから、自分の小説はエンタメ系としてはいびつといいますか、結果、エンタメ的ではないなと受けとられてしまうことはあるのかな、と。

綾辻　他の新人賞にも応募されていたんですか。

前川　ええ。短編はオール讀物推理小説新人賞や小説推理新人賞に送って、二次予選までは通過していました。それと、純文学の新人賞にも応募していたんです。実は、同じ作品が純文系の賞レースでもミステリ系のそれでも二次予選まで通過したこともあったんです。だけど、それはむしろ自分の欠点だと思いました。結局、どっちつかずの作品を書いていたわけです。

綾辻　どこかの時点で、ミステリのほうにはっきり軸足を置くようになった？

前川　いやあ、これを言ったら怒られそうなんですけれど、日本ミステリー文学大賞新人賞に初めて応募した『怨恨殺人《グラッジキリング》』が思いがけず最終候補に残ったことが大きいですね。

（一同笑）

編集部　『クリーピー』で受賞に至る八年前、二〇〇三年の第七回のときでした。

綾辻　なるほど。それがひとつの成功体験として刷り込まれて……。

前川　そうです。自分でも最終候補にまで残る

とは思っていませんでした。ですから、「自分には案外、ミステリが向いているのかな」と。
　あえて理屈を言いますと、文学の理論研究の中に「終わりの研究」というのがありまして、古くはアリストテレスの『詩学』に出てくる〝ペリペティア〟（急転）――予想されたのと逆の方向に筋が動き出すこと、という概念を研究していたもので、小説のエンディングなるものにそもそも関心が高かったんです。
　たとえば三島由紀夫《みしまゆきお》だと、積み上げてきた話を最後に全部壊してみせるようなことをする。今までの話はすべて嘘《うそ》ですよ、という具合に。結末において、それは破壊ではあるけれど、一方である種の「現実認識」を読者にもたらす点でミステリ的でもあるんです。三島の『獣の戯れ』という作品はヒロインの優《ゆう》子《こ》が年下の愛人と結託して夫を殺す話なんですが、最後の「終章」で突然「私」という人物が出てきて、刑務所に入っている優子を訪ねていく――。

編集部　現代を舞台に神話的な悲劇を完成させたようであったのに、急に雲行きが変わってくるんでした。

前川　ええ。それまで優子はたいへんな美女として描かれているんですが、第三者の「私」の目には「実に平凡な顔立ち」で「卑しく」さえ見える女だったと。最後の最後に、それまで抱いていた優子のイメージを壊されてしまう。それは一種、ミステリで言うところのどんでん返しのようなもので、自分が物を書くときのヒントになっています。そういう逆転劇を自分も描きたいんです。

綾辻　ジャンルをミステリに限ると、どのような読書歴が？

前川　世代的なこともありますが、江戸川乱歩《えどがわらんぽ》と横溝正史《よこみぞせいし》はほとんど読んでいますね。それから、専門がアメリカ文学なので、当然、エドガー・アラン・ポオの作品は読んでいます。

綾辻　乱歩と正史では、それぞれどんな作品がお好きですか。

前川　乱歩だと『闇に蠢《うごめ》く』や『地獄の道化師』。

綾辻　ははあ。

前川　正史だと『夜歩く』や『悪魔が来りて笛を吹く』が特にお気に入りですね。

綾辻　この質問をして、『闇に蠢く』や『夜歩く』をすんなり出してくる人は珍しいですねえ。前川先生の作風を知っていると、なおさら興味深いです。

前川　綾辻先生の作品で最初に読んだのは『十角館の殺人』です。いつ読んだか記憶がはっきりしないんですが、文芸評論家の柄谷行人《からたにこうじん》さんが同じ法政大学で教授をしてらして、親しく話すうち綾辻先生の名前が話題に出たんです。「読み方が違うけれど、下の名前が同じミステリ作家がいるんだ」と。もちろん、綾辻先生のお名前はその前から知っていましたけど。

綾辻　「綾辻行人」というペンネームはデビューにあたって島田荘司《しまだそうじ》さんが作ってくださった名前なので、柄谷さんと同じになったのは偶然なんですが。

編集部　柄谷さん、親交のあった笠井潔《かさいきよし》さんあたりから「綾辻行人」の名前を聞いたのかもしれませんね。

クリーピーでいて ポエティック

綾辻　小説を書きたいというモチベーションは昔からお持ちだったのでしょうか？

前川　小中学生のころから、あるにはあったんです。自分には兄がいまして、その兄がずっと小説家志望だったんですが、結局、芽が出ないで亡くなった。兄が競争心の強い男だったもので、兄の志す世界からは遠ざかりたいという気持ちもあったんでしょう。結果、学究の道を選んだわけですが。

綾辻　そんな事情があったんですか。デビュー作の『クリーピー』に話を戻すと、応募原稿を読んでまず、僕は序盤の〝怖さ〟が傑出していると感じました。まさに薄気味の悪い、〝クリーピーな感じ〟の怖さ。これですっかり引き込まれたわけですが、それにもまして惹《ひ》かれたのは物語の終盤だったんです。一連の事件から十年を経たのちの、北鎌倉《きたかまくら》を舞台にしたあのシークエンスが本当に良いなあ、好きだなあと。

前川　いやあ、最後の静かなる対決の場面を褒めてくれる人はめったにいないんです。

綾辻　そうなんですか？

前川　ええ。自分で言うのもおかしいですが、あの締めくくりの一場は自分でも気に入っているんです。確かに物語前半の薄気味の悪さで売っているところはあるけれど、私としてはある種の倫理観を描いた作品だと思っているんです。だから、あの十年後の解決編を描くことはどうしても必要でした。ただ、あの後半部分は映画化にはそぐわないこともよく分かります。

綾辻　映画化の話がいま出ましたが、黒沢清《くろさわきよし》監督による映画版『クリーピー　偽りの隣人』、拝見しましたけれども、あれはあれで傑作だと僕は思います。原作の序盤のエッセンスを使ったストーリーで、中盤以降はまったく原作とは異なる展開になっていきますが。

前川　映画では、小説の後半は思いきりよくカットしていますからね。

綾辻　都市部のアパートやマンションの孤立性についてはこれまでもしばしば小説や映画のモチーフにされてきましたが、この作品（——と、『クリーピー』の文庫版を手に取る）を黒沢監督が映画にしたいと思われた理由のひとつはきっと、都会の住宅街の中にあってそこだけ死角に入ってしまっているような数軒の一戸建ての並び、あの不穏な空間に強い魅力を感じたからなんでしょうね。

　僕が応募原稿を読んだときも、日野《ひの》市の一家三人行方不明事件が語られるあたりからもう、ゾクゾクしはじめて……でも、物語はただのクライムサスペンスでは終わらなかった。〝怖い隣人〟のお話だけじゃない、もう一本のストーリーラインが絡んできて、十年後のあの結末を迎える。このとおりに映画化しなかったのは、たぶん映画作品としては正解だったと思うんですけれど、一方でちょっと寂しい気もしました。初読のときも、今回改めて読み直してみたときも感じたんですが、ラストのあの北鎌倉のシーンは僕の感覚だと、鈴《すず》木《き》清順《せいじゅん》監督の映画『ツィゴイネルワイゼン』に、雰囲気というか空気感が重なってしまうんですよ。

前川　ああ、『ツィゴイネルワイゼン』は私も大好きな映画ですよ。イングマール・ベルイマン監督の『処女の泉』とか、ああいう神話的な詩美性の高い映画が肌に合うんです。そうした嗜好《しこう》が滲《にじ》み出ているのかもしれません。

綾辻　第二作の『アトロシティー』も拝読しましたが、これは過去の応募作を改稿されたものではなくて、完全な新作だそうですね。失礼な言い方になりますが、小説技術の上達に驚かされました。

前川　ありがとうございます。

綾辻　『クリーピー』が読みにくいというわけでは決してないんですけれども、続いて『アトロシティー』を読んでみると非常にリーダビリティが高くて、エンターテインメントとしての結構も整っています。リアリズムに徹した、乾いた文体をベースに書かれていますが、ときおり妙に詩的で幻想味のある文章やシーンが顔を覗《のぞ》かせますよね。そういうところがやはり、僕は好きで。たとえば、「奇譚堂《きたんどう》」というブログから短歌に行き当たるくだりの文章、好きだなあ。前川先生の文体は、犯罪小説ジャンルの書き手の中でもすでに独特の存在感を示しているように思えます。

前川　それは嬉《うれ》しいご意見です。『クリーピー』応募時には、綾辻先生の好みの作風とは、少し違うんじゃないかという不安がありましたから。

綾辻　終盤の北鎌倉のシークエンスがご自身でもお好きだという、そのあたりの感性に共通の傾向があるようで。ジャンルや作風は違っても、響いてくるものがあるんですね。

小説の構築美と余白について

前川　綾辻先生の「館《やかた》」シリーズの中で『黒猫

館の殺人』は未読だったんです。せっかくの対談の機会にと手にとったのですが、本当に圧倒されました。まず、文章そのものが洗練されている。それから伏線の妙、ですね。よくこれだけたくさんの伏線を張りながら最後にきちんと回収するものだと感服します。真相はぜんぜん見当もつかなかったのですが、最後に明かされてみれば、「何でこれが分からなかったんだ」と悔しくさえある整合性がある。

綾辻　伏線はなるべくたくさん張って回収するべし、というのが信条ですので。あらかじめきっちりと設計図を作ってから書きはじめますし。まあ、それでも書いてみないと分からないところはいっぱいあるわけですが。

前川　私は「書いてみなければ分からないところ」だらけです（笑）。『黒猫館』を読んで、いよいよ反省しないといけないと思いました。

綾辻　いやいや、めざす小説の種類にもよりますしね。いわゆる本格ミステリの場合は、ああいった伏線回収が命だろうと思うんです。中でも『黒猫館』は、メインのあのトリックに絡めた伏線の多さで勝負しようとした本格作品だったので、そこが弱かったらどうしようもない。

前川　『黒猫館』なども、書く前に編集者にプロットを説明したんでしょうか？　というのも、作家になっていちばん困っているのは、これから書こうという作品の梗概を出してくれと編集者に頼まれることなんです。書き上がった作品に梗概をつけることは、研究対象の小説を紹介するのと同様で、むしろ得意だと思っているくらい。でも、完成もしていない自作の梗概を書くのはどうにも苦痛なんです。

綾辻　うーん。『黒猫館』を書いた九二年当時の講談社の担当さんは、「今度の作品はだいたいこんなふうで」とお話ししたら、「もうそれ以上は聞きたくない」っていう人でしたから（笑）。詳しく知らない状態で読んで自分が最初に驚きたい、というね。だから梗概を見せたとしても序盤だけ、展開や結末は秘密にして書くのが基本だったんです。もちろん自分の中では、結末までのプロットをちゃんと練ってから書きはじめる、というのが基本だったんですが。

前川　また質問で恐縮ですが、『黒猫館』ではわざと語っていない部分がありますね？　結局、少女を殺害した犯人の心理について詳しく立ち入っていない。私も作品の中で凶行に及ぶ犯人の異常心理に触れるのですが、それほど詳しくは書かない。だから、「説明不足」だと批判する読者もいるんです。読者からの指摘はだいたいうなずけるんですが、このことには納得していません。何と言うか、すべてを説明してしまうことに抵抗があるというか。『黒猫館』にあっては、犯人の動機を説明しないことが、ある種の品格だと思うんです。作品の神秘性を高めようとする作者の意図を感じます。

綾辻　ああ、それは前川先生、優しい読み方をしてくださってます（笑）。あの当時の僕はそこまで深く考えず、書きたくなかったから書かなかった、というだけの話だったんじゃないかと。トリックと伏線がメインのお話であっても、殺人事件が起こる以上は動機の設定が必要で、それをどう描くかの工夫も必要なものです。だけど『黒猫館』では、あの少女殺しについては、動機についてあまり生々しく書いてしまいたくなかったんでしょうね。

前川　質問のピントが、ずれていたでしょうか……。

綾辻　いえいえ、いったん作者の手を離れたら、作品はどのように読んでくださってもかまわないわけですから。そういう〝読み〟もできる、ということが分かって面白いです。

ところで、昨年（二〇一五年）刊行された『死《し》屍累々《るいるい》の夜』は、これまでの前川作品とちょっと毛色が違いますね。たいへんな問題作だと思うんですが、あれよあれよと最後まで面白く読んでしまいました。もっと評判になっていい作品です。

前川　そう言っていただくとホッとします。『死屍累々の夜』は、人によっては非常に評判が悪いので。「日本経済新聞」の書評などプロの読み手の方からはけっこう褒めていただくんですが、一般の読者からは「最後まで読み通せなかった」とか「読むのが辛《つら》い」といった感想が届くんです。でも、『死屍累々の夜』は、私自身は自分の作品の中で一番好きな作品なんです。ある意味では、『クリーピー』よりも。

もともと私はトルーマン・カポーティの『冷血』や佐木隆三《さきりゆうぞう》さんの『復讐するは我にあり』といった事件もののノンフィクションノベルが好きなんです。『死屍累々』は「フェイク・ドキュメンタリー」ですから本当に起きた話ではないんですが、ああいうルポルタージュ風の書きぶりを真似《まね》て書いてみるのはどうだろうと挑戦してできた作品です。

綾辻　この物語の中心人物である木裏健三《きうらけんぞう》という男って、それこそ『黒猫館』の犯人どころではなく謎めいているじゃないですか（笑）。結局、彼が何をどう考えて行動していたのか、最後まで明らかにはされない。

前川　ネットなどで「説明不足」だと叩《たた》かれるゆえんです。

編集部　こんなに陰惨な話なのに、最後にはまるで木裏という男の純愛を描いたようにも読めてしまいます。

綾辻　語られない部分があるからこそいい、という小説もたくさんあるのにねえ。どうも最近は、読者が〝答え〟を求めすぎるように思えます。一から十まで説明してくれないと駄目だ、みたいな。語られざる部分を想像して味わう、という楽しみ方を知らない、もしくはそういう読み方が苦手なのかもしれませんね。

読んでから見るか、見てから読むか

編集部　自身の小説作品の映像化について、それぞれのお考えを伺えますか。

綾辻　ええと……僕は、できればなるべく制作の現場には関わらないように、と思っています。そのほうが精神衛生上、良いようなので。

前川　私も今回の映画化に特に注文は出していないんです。何しろ初めてのことで、業界のしきたりも分かりませんでしたから。自分の書いたものが〝動き出す〟のは素直に嬉しかったですけれど、映像化をめざして書くようなことがあっては駄目でしょうね。

綾辻　僕は昔から「映像化不可能な仕掛け」を意識して書いてきたようなところがあるので、映像化の企画が来たときにはまず、その不可

能な部分をどう処理するつもりなのかが話し合いの焦点になりますね。何とか工夫して映像でも実現させるのか、それともその部分は最初からあきらめて切り捨てるのか、という。

前川　そうだ、あまりにも小さい要求ですが（笑）、とにかく『クリーピー』というタイトルだけは残してくださいとお願いしました。

綾辻　ああ、それは大切なことですよ。われわれの本職はあくまでも小説家なので、本の売れ行きに跳ね返ってこないようなメディアミックスは意味がありませんから。原作のタイトルを残す、というのは譲れないところだと思います。

映画の『クリーピー』は六月公開ですね。今年（二〇一六年）の一月末には、小野不由美《おのふゆみ》原作の映画『残穢《ざんえ》』が公開されたんですが、『クリーピー』と同じで竹内結子《たけうちゆうこ》さんがヒロイン役で出演しておられて。で、『残穢』では彼女、じつに怜悧《れいり》で、強烈な怪異に直面してもあまり怖がらず、冷静に対処する役柄なんです。ところが、続けて『クリーピー』を観《み》るとですね、同じ竹内さんがあんなふうになっちゃうでしょう？　そこがもう、怖いというかショックというか（笑）……。

映画『クリーピー』がヒットして、これを機会に多くの人が原作小説に手をのばしてくれるといいですね。「読んでから見るか、見てから読むか」といえば、往年の角川映画の有名なコピーですが、映画版では原作の後半をばっさりと切り捨てているから、「見てから読む」のも楽しいと思います。主人公の高倉《たかくら》が再登場する新作長編『クリーピー　スクリーチ』もお見逃しなく、ですね。

ところで、前川先生の今後の執筆予定は？

前川　KADOKAWAから出るはずの本で、大学の総長選挙に怪異が絡む話を書いています。

綾辻　大学人としてキャリアが長いのが、前川先生の強みですね。理系の大学の研究室を舞台にしたミステリは森博嗣《もりひろし》さんがたくさん書いておられますが、文系の大学や大学院のほうは、意外にあまりちゃんと書かれてこなかったフィールドかもしれない。

前川　小説家として本が出せるようになる以前は、「新人賞を獲《と》れたら大学なんか辞めてしまおう」という気持ちもあったんです。けれど、そうすると人と接する機会が極端に減って世間が狭くなるのではないかと思い直しました。

綾辻　僕は大学院生のときに作家デビューしたので、普通の社会人経験がまったくないんですね。そのせいか、どうしても作家が主人公の物語が多くなってしまう（笑）。

前川　自分自身の立ち位置と合わない主人公では、どこかに無理が生じますね。『死屍累々の夜』の主人公の木裏も、やくざな稼業に入る前は大学教授でした。綾辻先生から高評価もいただきましたし、『死屍累々』のフェイク・ドキュメンタリー路線は今後も続けていきたいと思います。

綾辻　それはぜひ。これからも注目しています。

（二〇一六・四・四　於／京都・木乃婦《きのぶ》）

from 前川 裕

時の流れは速いものだ。あれから、すでに四年が過ぎ去っているのは、驚きだった。京都対談ではいささか緊張していた。何しろ、綾辻先生は誰もが知る本格ミステリーの第一人者であり、私は「クリーピーの前川さん」とでも言わなければ、誰のことか分からないような知名度の作家だったのだ。私が綾辻先生より勝《まさ》っていたのは、年齢と顔のデカさ（掲載写真参照）くらいだろう。それにも拘《かか》わらず、面白い対談に仕上がっているのは、綾辻先生の洒脱《しゃだつ》で軽妙な会話術、それに構成担当の佳多山《かたやま》さんの高い能力のおかげである。

日本ミステリー文学大賞新人賞の選考で、他の選考委員と激しく議論を戦わせて『クリーピー』を受賞に導いてくれたのが、綾辻先生だった。『クリーピー』は西島秀俊《にしじまひでとし》さんの主演で映画化されて話題になり、小説自体も売れたから、綾辻先生がたまたま選考委員にいなければ、私の運命も大きく変わっていたに違いない。人間の出会いとは、やはり運命的なものだ。コロナ禍《か》の今年、私は文庫本三冊を出し、単行本では八月に『愛しのシャロン』（新潮社）を刊行予定である。過去の少女監禁事件を扱ったこの単行本に私は勝負を賭けているのだが、この作品の刊行時期が綾辻先生の対談集と近いことも、これまでの経緯《いきさつ》から言うと、何かつきを呼びそうな気がしている。虫が良すぎるとは思いつつ。

⦿この対談で触れられていた書籍（登場順）

前川 裕『クリーピー』（光文社文庫）
川中大樹『茉莉花』（光文社文庫）
アリストテレス『詩学』（三浦 洋訳／光文社古典新訳文庫）
三島由紀夫『獣の戯れ』（新潮文庫）
江戸川乱歩『江戸川乱歩全集第2巻 パノラマ島綺譚』（光文社文庫）※「闇に蠢く」所収
江戸川乱歩『江戸川乱歩全集第13巻 地獄の道化師』（光文社文庫）
横溝正史『夜歩く』（角川文庫）
横溝正史『悪魔が来りて笛を吹く』（角川文庫）
綾辻行人『十角館の殺人〈新装改訂版〉』（講談社文庫）
前川 裕『アトロシティー』（光文社文庫）
綾辻行人『黒猫館の殺人〈新装改訂版〉』（講談社文庫）
前川 裕『死屍累々の夜』（光文社文庫）
トルーマン・カポーティ『冷血』（佐々田雅子訳／新潮文庫）
佐木隆三『復讐するは我にあり 改訂新版』（文春文庫）
小野不由美『残穢』（新潮文庫）
前川 裕『クリーピー スクリーチ』（光文社文庫）

前川 裕（まえかわ・ゆたか）
1951年、東京都生まれ。一橋大学法学部卒業後、
東京大学大学院比較文学比較文化専門課程修了。スタンフォード大学客員教授などを
経て、法政大学国際文化学部教授に。専門は比較文学、アメリカ文学。
2011年、『クリーピー』で第15回日本ミステリー文学大賞新人賞を受賞し、
小説家デビューを果たす。精神医学領域を謎解きのプロットと巧みに嚙み合わせて
戦慄を誘う。主な著書に『酷 ハーシュ』（2014年）、『死屍累々の夜』（15年）など。

綾辻行人のデビューを
起点とする新本格ムーヴメントが
始まったのは一九八七年。
以来、好むと好まざるとにかかわらず
新本格の旗手として走りつづけてきた
綾辻が今回招いたゲストは、
〝綾辻登場以後〟の一九九〇年に
生まれた白井《しらい》智之《ともゆき》だ。
本格派の未来を担う新世代作家の
素顔とは？

綾辻行人 × 白井智之

Ayatsuji Yukito　　Shirai Tomoyuki

†

編集部　白井智之さんが京都対談ゲストの最年少記録を更新。綾辻さんより、ちょうど三十、年下になります。

白井　一九九〇年生まれです。今年（二〇一六年）の十二月で二十六になります。

綾辻　若いねっ！　平成生まれのゲストは初めてですね。

編集部　事前に調べておいたんですが（――と手もとのノートに目をやって）、一九九〇年といえば鮎《あゆ》川哲也《かわてつや》賞の第一回受賞作（芦辺拓《あしべたく》『殺人喜劇の13人』）が決まった年。太田忠司《おおただし》さんが『僕の殺人』でデビューし、中西智明《なかにしともあき》さんが当時二十二歳で『消失！』を出しています。綾辻さんは一月に『殺人鬼』を、九月に『霧越邸殺人事件』を刊行した年ですね。

綾辻　おお、綾辻行人の最盛期じゃありませんか（苦笑）。その翌年（一九九一年）には『時計館の殺人』も発表してるし……。

ともあれ、それほどに若い白井智之さんを今日は京都にお迎えして、本格ミステリについてあれこれ語り合おうというわけです。あまり緊張しないでね。

白井　あっ、は、はい（まだ笑顔が引き攣《つ》っている）。

綾辻　ところで以前、白井さんは僕のサイン会に来てくれたことがあると耳にしましたけれど、どの本のときだったのかしら。

白井　デビューする前に二回行っているんです。最初が『深泥丘奇談・続』のときでした。

綾辻　ということは、東日本大震災のすぐあとですね。

……あれ？（と、額に手をやって）ちょっと待って。それって、京都でやったサイン会だよね。そのとき僕に、「東北大のミステリ研で」って言ったんじゃなかった？

白井　ああ、はい。それは、ぼくですね。正確には「ＳＦ・推理小説研究会」で、もともとＳＦ研とミステリ研は別々だったのがどちらも存続が難しくなって（笑）、ぼくらの何代か前にくっついたらしいです。

綾辻　『深泥丘奇談・続』の刊行は本当に震災の直後で、奥付は二〇一一年三月十八日となっています。当初予定されていた東京でのサイン会は延期になって、京都でのサイン会だけ、予定どおり三月中に開催した。そのとき被災地からわざわざ来てくれた人が二人いて、うち一人は東北大ミステリ研の学生で……という記憶が。

白井　京都でサイン会があるのはネットでチェックしていたんです。あの地震で大学の授業もアルバイトも全部なくなったので、一人暮らしの仙台にいても何もできない。余震もひどくてノイローゼになりそうだったので、いっそのこと綾辻さんのサイン会に行こうかと。

綾辻　そうか、あのときの青年が白井さんだったのかぁ。仙台からわざわざ来てくれたことに感激したんだよなあ。「東北大にもミステリ研があるんだね」って話したのも覚えていますよ。今日やっと、二人が同じ顔になった……。

白井　綾辻さんのサイン会には『奇面館の殺人』のときも駆けつけています。場所は東京。就職活動中で、げんなりしていた時期でした。どうも憔悴《しょうすい》しているときにサイン会に行っていたみたいです（笑）。

綾辻　就活の話が出ましたが、今は兼業作家なんですね？

白井　はい。東京で就職して、働きながら書いています。もうヘトヘトですけれど。

新世代作家の読書歴

綾辻　最初に接したミステリは何でしたか？

白井　少年少女向けに編集されたルパンやホームズのシリーズですね。ちゃんと大人向けのものでは、アガサ・クリスティです。クリスティもまず少年少女向けの『ＡＢＣ殺人事件』や『オリエント急行の殺人』から入って、小学校の高学年のころからハヤカワ文庫を手に取るようになりました。

綾辻　江戸川乱歩《えどがわらんぽ》は？

白井　乱歩は〈少年探偵団〉止まりで、大人向けの乱歩作品に出会うのは大学に入ってからです。

綾辻　白井さんの作風からして『孤島の鬼』なんか、大好きでしょう？

白井　そうですね。不気味で先の読めない物語に夢中になった記憶があります。

綾辻　横溝正史《よこみぞせいし》ミステリ大賞への応募がデビューにつながったわけだけど、横溝先生の作品は？　好きだよね、やっぱり。

白井　はい。学生時代にもっとも熱中して読んだ作家は横溝先生だと思います。『悪魔の手毬唄《てまりうた》』がいちばんのお気に入りです。夕暮れ時の峠ですれ違ったおりん婆《ばあ》さんが、実はもう亡くなっていて、元夫の家に行ったら血痕だけ残っていたという前半の展開がたまらないですね。

綾辻　僕も『悪魔の手毬唄』は「いちばんお気

に入り」の横溝作品かもしれない。

編集部　いわゆる新本格との出会いは？

白井　中学校に上がってすぐ、綾辻さんの「館《やかた》」シリーズや有栖川有栖《ありすがわありす》さんの〈江神《えがみ》シリーズ〉に出会い、そこから手を広げて麻耶雄嵩《まやゆたか》さんや法月綸太郎《のりづきりんたろう》さんの作品を読みました。本格ミステリがこんなに読めるなんて、自分はなんと良い時代に生まれたんだと思っていました。『暗黒館の殺人』が出たのが中学二年のときで、初めて「館」シリーズを講談社ノベルス版で読みました。

綾辻　綾辻の作品では何がお好き？

白井　そうですね……（と、しばらく考え込み）やっぱり『暗黒館の殺人』ですね。初めてリアルタイムで「館」シリーズの作品を読むことができた感激もありますし、とにかくワクワクしました。

綾辻　『暗黒館』は自分でも大好きなので、そう言ってもらえると嬉《うれ》しいです。あの物語にはいろんな狙いがあったんだけど、その一つは、とにかく〝変わった人間〟をたくさん登場させたかったのね。『孤島の鬼』みたいに。ああいう異形の者たちを妖しく魅力的に書きたい、という。

編集部　白井さんが小説の創作を始めたのはいつごろ？

白井　本当に落書きレベルの習作は小学生時分から書いていたんですけれど、最初に賞レースに応募したのは高校三年のときです。いきなり長編は書けなかったので、まずは短編で勝負をと東京創元社主催のミステリーズ！新人賞に。受験勉強に本腰を入れる前の記念応募のつもりが、いざ出来上がると「やばい。これ、賞獲《と》っちゃうんじゃない？」と調子こいていました。

ていたんですが、箸にも棒にも掛かってくれませんでした（笑）。

綾辻　千葉出身で、東北大の法学部に進んだんですね。東北大のその、ＳＦ・推理小説研究会の活動に興味があるな。

白井　いやもう、ミステリについてだらだらと喋《しゃべ》るばかりで。いちおう、週一回の読書会があって、持ち回りで発表者がレジュメを作って、みたいなことはやっていたんです。でも、会員数が激減した年は、それが月一回になったり。

綾辻　犯人当て小説を会員が発表したりはしなかったの？

白井　創作の文化はぜんぜんなかったですね。

綾辻　でも、先輩で作家になった人が一人いるでしょう。二〇一三年に『致死量未満の殺人』でアガサ・クリスティー賞を受賞した三《み》沢陽一《さわよういち》さん。確か彼、東北大のミステリ研出身ですよね。

白井　はい。三沢さんはだいぶ上のＯＢですね。ミステリ研を立ち上げた世代になるのだと。

編集部　会誌を発行したりは？

白井　過去に先輩たちが出したことはあるみたいですが、ぼくが在籍していた当時は、ちょっと斜に構えて、「そんなに俺ら、頑張らねーし」みたいなノリがあったんです。きっと創作をやりたい人は、それぞれ隠れて書いていたんですね。自分も大学時代、わりと時間もあったので、ひそかに投稿を重ねていました。応募作を読んでもらった友だちはいるんですけれど、それもミステリ研の人間ではなかったです。

綾辻　大学時代は主にどこに投稿していたの？

白井　ずっと鮎川哲也賞に出していたんですが、

まったく芳《かんば》しい結果が出なくって。卒業後、初めて横溝賞に応募したのが、デビュー作となる『人間の顔は食べづらい』だったんです。

想定内か、想定外か

綾辻　『人間の顔は食べづらい』は二〇一四年十月の刊行ですね。受賞には至らなかったけれども、有栖川有栖さんと道尾《みちお》秀介《しゅうすけ》さんの強い推薦があって、出版が実現した。こういうことって、たまにあるんですよね。

　あの年の横溝賞の選考会前に、たまたま有栖川さんと電話でお話しする機会があって、そのときも話題に出たの。「食用にクローン人間を作っている世界を舞台にした作品があって、『なにこれ?』と眉をひそめながら読んでみたんだが、とても面白かった。これは現代の〝変格探偵小説〟なんじゃないか」というふうに熱っぽく語っておられたから、楽しみにしていたんです。道尾さんは本の帯に、「これと似た本を、自分は一度も読んだことがない。」という推薦の言葉を寄せていましたね。――で、大いに期待しながら一気に読んだんですよ。でもね、とても面白かったんだけど、これは想定内の面白さだった（笑）。

白井　それは残念です（苦笑）。

綾辻　事前にさんざん情報が入ってきたせいもあります。確かにとんでもない設定の話なんだけれども、ミステリ部分の〝仕掛け〟の手つきがね、僕にはよく分かりすぎてしまって。白井さんの場合、本格ミステリ的なロジックやトリックを先に思いついて、それを実現させるためにはどうすればいいかを考えて……という順番で書いてますよね？　思いついたロジックやトリックが普通の現実世界では実現不可能だから、じゃあクローン人間がいる世界を作ってしまおう、という。そう思いながら読んだから、『人間の顔は食べづらい』は想定内だったの。

といっても、面白いのは確かだし、まだ若い作者だし、要注目と思っていたところへ去年（二〇一五年）の夏、KADOKAWAの担当編集者から『東京結合人間』のゲラが送られてきたのね。「読んでほしい」と。で、読んでみたら今度は、想定を超えていた。

白井　良かった（破顔）。二作目は超えてくれましたか。

綾辻　ほんとに前代未聞の世界設定だしねえ。そもそも人類という「種」の性質自体が現実とは違う、という。はっきり言ってもう、めちゃくちゃでしょ（笑）。いや、褒めてるんですよ。よくもまあ、こんな変てこな設定を案出して書ききったもんだなあ、と。

前半はとにかく、そのめちゃくちゃな設定の物語をぐいぐい読ませるよね。そして後半は孤島ものの本格ミステリになる！　「結合人間」の中に、まれにオネストマンという「決して嘘《うそ》のつけない人間」が生まれるというのは、これは本格ミステリのためにあるとしか言いようがない設定で、物語は後半、きちんとこの特性を活《い》かしたパズラーに変貌します。しかも白井さんの書くパズラー部分って、世界設定のやんちゃぶりとは正反対に律儀というか、すごくきちんとしてるんだよね。この落差が、僕は好きなの。そこで、「本作は飛びきりの奇想を内包した愛すべき本格ミステリである。白井智之、二十四歳。――末恐ろしい書き手である。」という推薦文を寄せたわけですが。

白井　ありがとうございます。

綾辻　面白いパズラーを書きたい、という情熱を具体化させるにあたって、なぜ白井さんの場合、発想が「食べるためのクローン人間」だとか「結合人間」だとか、そういう方面に向かうのか？　それが白井さんの作家性だと思うんだけど、興味深いですね。

編集部　発想の根本はＳＦかな、という気もするんですけれど……。

綾辻　西澤保彦《にしざわやすひこ》さんが九〇年代後半、意欲的に取り組んでいたＳＦミステリの手法に近いですよね。瞬間移動の能力者がいるとか一定の法則で人格が入れ替わる装置があるとか、物語内の世界を支配するＳＦ的な特殊ルールを明示して、そのルールに従って論理的な謎解き小説＝パズラーを構築する。今世紀に入ってからは、たとえば米澤穂信《よねざわほのぶ》さんの『折れた竜骨』のように、ＳＦというよりファンタジーの世界設定でパズラーを成立させる作品も目立ちます。ひっくるめて「特殊設定パズラー」というサブジャンルで語れそうですね。パズラーとは呼べないけれども、僕の『Another』にしてもまあ、似たような手法を使っているわけです。これが白井さんの手にかかると、ちょっと他に類を見ないような異形の「特殊設定」になってしまうんだよね。あえて僕は「鬼畜系」と命名しましたが（笑）。

結合人間の絵を描いてみた

編集部　最新作の『おやすみ人面瘡《じんめんそう》』の舞台は、全身にこぶし大の〝顔〟ができる奇病が社会問題化した世界です。怪物ホラーかと見まがうような場面もありますね。ワケありで四メートルほども巨大化した患者が仙台の街を荒らしまくる！

綾辻　日野日出志《ひのひでし》さんの『蔵六《ぞうろく》の奇病』みたい。日野日出志は読んでいませんか？　けっこうホラー漫画からの影響も感じるんだけれど。

白井　いえ、読んだことがないですね。

綾辻　きっと好みだと思うなあ。そういえば、白井さんが〝人面瘡〟なるものと最初に出会ったのは、何を読んだり見たりして、だったのかな。

白井　手塚治虫《てづかおさむ》さんの『ブラック・ジャック』ですね。もちろん、発表時にリアルタイムで読んでいるわけではないですけれど。

編集部　ああ、人面瘡ができる原因が精神医学領域にあると見て、荒療治するエピソードがありましたね。

綾辻　そうか、『ブラック・ジャック』かぁ。僕なんかの世代だと、人面瘡といえばまず古賀《こが》新一《しんいち》さんなんですよ。『エコエコアザラク』で有名な漫画家さんです。『エコエコ』は知ってるよね？

白井　あ、はい。

綾辻　古賀さんの初期作品で『のろいの顔がチチとまた呼ぶ』という長編漫画があったんです。それを小学生のころにたまたま雑誌で読んで、すっかりトラウマに（笑）。女の子の腕に不気味な人面瘡ができて、そいつが「チチチ……」と鳴くのね。この人面瘡がとても邪悪なやつで、喋るし増えるし切ってもまた出てくるし……で、とにかく怖くてねえ。

白井　過去に人面瘡がどんなふうに創作物で扱われているか調べてはみたんです。けれど、いま教えていただいた古賀新一さんの漫画は、見落としていました。

綾辻　紙の本はさすがに手に入りにくいけど、電子書籍版で流通しているみたいですね。『深泥丘奇談』の最初の一編が「顔」という短編で、これが人面瘡ものなんだけど、作中に「ちちち……」という擬音語がいっぱい出てくるのは古賀新一オマージュなんですよ。

編集部　人面瘡との出会いは『ブラック・ジャック』、では男女結合人間のイメージの根っこは何でしょう？　基本的に女性が男性の肛門から体内に入って〝結合〟を果たし、ほとんど怪物めいた結合人間になるという。

白井　それはよく訊《き》かれるんですけれど、これっていうものがないんです。自分でもどこから湧いてきたイメージなのかよく分からない。

綾辻　白井さん、絵心はある人ですか？

白井　ああ、はい（目が一瞬泳ぐ）……人並みくらいだと。

綾辻　じゃあ、結合人間の絵を今、ここで描いてみてよ。

白井　（リクエストに応え、編集部が渡した紙切れに結合人間の絵を描きはじめて）頭がこう…………目が横に四つ並んで…………手が四本生えてて…………胴まわりも太く…………足も四本…………と、こんな感じでしょうか。

綾辻　なるほど。絵心はあまりなくても小説は

書けるものなんだなと分かりました。

（一同笑）

テーマよりも〝企み〟が先行

編集部 クローン人間に対する扱いは人種問題や移民問題とも重なるようです。男女の結合からまれに生まれるオネストマンは、いわば性的マイノリティです。『おやすみ人面瘡』では無知と無理解から生じる病者への偏見という社会派的テーマが見えてきます。多数派が、少数派を排撃する。そうした構図を作り出す発想からアイディアを膨らませているのでしょうか？

白井 ああ……（と少し考え込んで）いや、そっちが先ではないですね。多数派対少数派の対立構図があるようなストーリーは自分でも好きで強く惹《ひ》かれるんですけれど、決してそれを最初から意図しているわけではないです。先ほど綾辻さんが見抜いてくれていたんですが、ロジックだったり〝企《たく》み〟のほうがテーマ性より先行しています。

綾辻 やっぱりそうだよね。先にテーマを決めて書く書き方だと、こういうドライブ感は出ないかもしれない。

白井 綾辻さんは、どちらの順序で物語を組み立てられることが多いですか？

綾辻 同じですよ。だいたいにおいて、ミステリ的な仕掛けのアイディアが先にあって、テーマはあとから追いかけてきたり、結果として出てきたり、という順番。

『人間の顔は食べづらい』より前は白井さん、もっと普通のミステリを書いて賞に応募していたわけですか？

白井　まったく普通の本格ミステリでした。

綾辻　ほほう。鬼畜系の特殊設定を使った作品は、『人間の顔は食べづらい』が初めてだったんだ。

白井　そうですね。普通でない本格ミステリを書こうと思い立ったのは、飴村行《あめむらこう》さんの『粘膜蜥蜴《とかげ》』を読んだことがきっかけかもしれません。ミステリ的な面白さもあると紹介されて手に取ったんですが、ちょっとイメージしていたのと違ったんですね。ハチャメチャな設定はツボに嵌《は》まったんですけれど、こういうグロテスクな味わいで、より本格ものに寄せた作品を書けないだろうか、と。

いつかは正統派の本格ミステリにチャレンジ——いえ、再チャレンジしてみたい気持ちもあります。が、今はこの手の特殊設定ものを書いているときが楽しいので、アイディアが絞り出せる限りこの路線で頑張ってみるつもりです。

あえて高いハードルを課す

綾辻　最新作の『おやすみ人面瘡』も、想定外に面白かったですよ。大きなところで一つだけ、気になる問題点もあるんだけど、ネタばらしになるからここではやめておきましょう。あとでこっそり話すので、いずれ文庫化で手を入れる機会があるかもしれないから、ちょっと気にかけておいてくれればと。

『おやすみ人面瘡』は、これまでの三作の中でもいちばんミステリ的な密度が高いと感じました。いろんな仕掛けがぎっしり詰まっている。体中に人面瘡ができる「人瘤病《じんりゆう》」のパンデミック以降、という世界設定をベースに、人が咳《せき》をする音を聞くと人瘤病患者が暴れだす「咳嗽反応《がいそうはんのう》」など、いろんな特殊ルールが加わって、それらが全部、最後の謎解きの段で活きてきます。こういう特殊ルールを考えるのはきっと、しんどいけれども楽しかったでしょうね。――にしても、よくもこんな突拍子もない悪趣味世界を、もっともらしい顔で書けるものだなあと感心します（笑）。

白井　偶然の作用や特殊設定はひとつまでにしないと骨格がブレてしまう、としばしば言われますので、こんなに盛りだくさんでいいのかなと思うことはあるんです。どうお考えですか？

綾辻　「ひとつまで」というのは正論だけど、あくまでも正論であるというだけで。作品によって、書き方によってはＯＫでしょう。ところで、白井さんがこの作風でもっと飛躍するための道筋が、なんとなく僕には見えるんですよね。こういう対談の場で言うのは偉そうだからやめておきたいんだけれど……（と、声のトーンも抑え気味に）白井さんが考案する特殊設定は強烈なインパクトがあって、それをぐいぐい読ませる力量もあるんだけど、とんでもなく異常な光景を前段で立て続けに見せられたあとで、ミステリの中心となる殺人事件が起こるでしょう。だからどうしても、事件が小さく見えるというか、多少不可解な事件であっても相対的に〝普通〟に見えてしまうんだよね。全体があまりにも異形なので、本来ならもっと強いインパクトをもたらすべき〝事件の謎という異形〟がその全体に埋もれてしまいがち、という。

白井　それは……分かります。現実世界が舞台であれば、家庭や学園といったリアルな日常

の生活空間が不可解な事件の発生によって恐ろしいものに変わる。だから、〈謎〉というものがそこで際立ってくる。

綾辻　そうそう。特殊設定下のとんでもないドラマの中で、さらにメインの殺人事件をもっと鮮烈に彩ることができれば、きっとさらに面白くなると思うんです。とても難しい注文、高いハードルだけど……期待してるね。

（二〇一六・九・十　於／京都・祇園《ぎおん》川上）

from 白井智之

お読みいただいた方はお気付きかもしれませんが、この日のぼくは人生最大級の緊張で石像のようにガチガチになっておりました。ぼくの頭がどんな状態だったかというと、冗談抜きで「あの綾辻先生が目の前にいらっしゃる……！」というレベル。あのときの自分のヨタヨタぶりを思い出すだけで顔から火が出て火事になりそうですが、そんな状態の若者の話に、綾辻先生は優しく、辛抱強く、耳を傾けてくださいました。この日以来、原稿に行き詰まって頭を抱えるたび、「京都で綾辻先生に背中を押してもらったんだから！　しっかりせい！」と自分の背中を叩《たた》き、なんとか小説を書き続けております。本当にありがとうございました。

……ちなみに。後半でさらりと触れられている『おやすみ人面瘡』ですが、２０１９年刊行の文庫版で大幅な改稿を行っております。とある部分が単行本とはまったく別物になっていますので、気になった方はぜひ文庫版を読んでみてください。

◎この対談で触れられていた書籍（登場順）

芦辺 拓『殺人喜劇の13人』（創元推理文庫）
太田忠司『僕の殺人』（徳間文庫）
中西智明『消失！』（講談社ノベルス）
綾辻行人『殺人鬼 ——覚醒篇』（角川文庫）
綾辻行人『霧越邸殺人事件〈完全改訂版〉』上下（角川文庫）
綾辻行人『時計館の殺人〈新装改訂版〉』上下（講談社文庫）
綾辻行人『深泥丘奇談・続』（角川文庫）
綾辻行人『奇面館の殺人』上下（講談社文庫）
アガサ・クリスティー『ABC殺人事件』（堀内静子訳／早川書房・クリスティー文庫）
アガサ・クリスティー『オリエント急行の殺人』（山本やよい訳／早川書房・クリスティー文庫）
江戸川乱歩『江戸川乱歩全集第4巻 孤島の鬼』（光文社文庫）
横溝正史『悪魔の手毬唄』（角川文庫）
綾辻行人『暗黒館の殺人』全4巻（講談社文庫）
三沢陽一『致死量未満の殺人』（ハヤカワ文庫JA）
白井智之『人間の顔は食べづらい』（角川文庫）
白井智之『東京結合人間』（角川文庫）
米澤穂信『折れた竜骨』上下（創元推理文庫）
綾辻行人『Another』上下（角川文庫）
白井智之『おやすみ人面瘡』（角川文庫）
日野日出志『蔵六の奇病』（ひばり書房・ヒットコミックス）
手塚治虫『ブラック・ジャック』全25巻（秋田書店・少年チャンピオン・コミックス）
古賀新一『エコエコアザラク』全19巻（秋田書店・少年チャンピオン・コミックス）
古賀新一『のろいの顔がチチチとまた呼ぶ』（ひばり書房・ひばりコミックス）
綾辻行人『深泥丘奇談』（角川文庫）
飴村 行『粘膜蜥蜴』（角川ホラー文庫）

白井智之（しらい・ともゆき）

1990年、千葉県生まれ。東北大学法学部卒業。在学中はSF・推理小説研究会に所属していた。2014年、第34回横溝正史ミステリ大賞に投じた『人間の顔は食べづらい』が最終候補になり、受賞の栄冠は逃したものの、選考委員を務めた有栖川有栖、道尾秀介の推薦を受け、デビューに至る。不健全で不道徳、でも論理は不公正でない物語世界を造って無二の存在。主な著書に『東京結合人間』（2015年）、『そして誰も死ななかった』（19年）など。

現代本格派の雄、
綾辻行人がホスト役を務める
「京都対談」は、八回目にして
初めて女性作家をゲストに迎えた。
リーガル・ミステリの連作集
『黒野《くろの》葉月《はづき》は鳥籠《とりかご》で眠らない』で
大いに筆名を高めた織守《おりがみ》きょうやは、
弁護士として多忙な日々を過ごすなか
創作活動を怠らない。

綾辻行人 × 織守きょうや

Ayatsuji Yukito　Origami Kyoya

†

編集部　綾辻さんは、織守さんのデビュー作（二〇一三年刊行の『霊感検定』）とはご縁がなかったのでは……？

綾辻　経緯を説明いたします（笑）。

織守さんは二〇一五年、『記憶屋』で日本ホラー小説大賞（第二十二回）の読者賞を受賞されたんですが、僕はそのときの選考委員だったんです。応募原稿は「織守きょうや」ではなく「京谷《きょうや》」名義で、選考の段階ではプロフィールも見えていなかったから、まったくの新人の作品だと思って読んだわけ。なので僕にとっては、織守さんといえばまず『記憶屋』の作者なんですね。

織守　その年は、澤村伊智《さわむらいち》さんの『ぼぎわんが、来る』が大賞、名梁和泉《なばりいずみ》さんの『二階の王』が優秀賞に選ばれたんです。

綾辻　激戦・豊作の年でしたね。『記憶屋』は選考会では選外だったんですが、ホラー大賞には本選考とは別に、書店員さんたちの投票で決まる読者賞という枠があって、そちらで断トツの支持を得た。

選考会では悩ましかったんですよ。僕好みの作品だったから推《お》したかったんだけど、いかんせんホラー大賞でしょう。『ぼぎわん』や『二階の王』に比べると、どうしても〝怖さ〟で引けを取ってしまう。僕の目には、ホラーよりもむしろミステリとしての仕掛けが面白く映ったので、同じKADOKAWAの賞なら横溝正史《よこみぞせいし》ミステリ大賞のほうに投じれば良かったのに、と思ったりも。選評では「都市伝説を取り扱った青春小説テイストの作品だが、『記憶屋』の正体を巡るフーダニットミステリとして捉えると、けっこう周到な構想のもとに書かれている」と書いていますね。結果、読者賞受賞で本が出ることになって良かったなあ、と思っていたところが、実は「京谷」さんは「織守きょうや」さんで、すでに『霊感検定』でデビューされていたと判明したわけです。
　そんな経緯があったもので、のちに『霊感検定』が文庫化されたとき、帯に推薦コメントを依頼される流れにもなったんですね。

編集部　そうでしたか。『霊感検定』は初刊の講談社BOX版で読んでいたので、文庫版の腰帯はチェックしていませんでした。こういう形でデビュー作とも関わりができていたんですね。

綾辻　「最後の最後に軽やかな投げ技で一本！　こういうところが織守さん、侮《あなど》れない。」――というコメントを、『霊感検定』には寄せていますね。心にもないことは書けないたちなので、絶賛はしていないけれどもヨイショもしていません。この作品のラストのあれは、じつに「軽やかな投げ技」だと思いました。

織守　そう言っていただけるとほっとします。『霊感検定』はホラーとしてはライトですし、一巻はミステリというわけでもないので、綾辻先生にお願いしていいものか……と思ったのですが、推薦文をいただけてとても嬉《うれ》しかったです。その節は、ありがとうございました。

綾辻　いえいえ。二〇一五年の横溝正史ミステリ大賞（第三十五回）は受賞作が出なかったけれど、もしもあの年、僕が横溝賞のほうの選考委員で、もしも『記憶屋』がその最終候補に挙がっていたなら、きっと推していたと思います。

ドイツで新本格ミステリと出会う

編集部　織守さんのプロフィールを見ると「イギリス・ロンドン生まれ」とありますね。

織守　父が仕事の関係で、ロンドンに駐在していたので、私もたまたまロンドンで生まれたんです。イギリスには五歳くらいまでいました。日本に帰ってきて小学校を卒業するタイミングで父が今度はドイツに転勤することになり、中学校の三年間はドイツで暮らしました。高校のときはまたイギリスで過ごして、大学受験でふたたび日本に帰ってきました。

綾辻　じゃあ、大学に入るまでの人生の半分以上が海外生活だったんだ。そういう環境で幼少期・少女期を過ごす中、日本の小説を読む習慣はいつ、どのようにして？

織守　小学生のころから本は好きだったので、いろいろと読んでいました。当時からシャーロック・ホームズものには親しんでいましたが、「面白い本が好き」というだけで特にミステリやホラーを求めていたわけではなくって。『オズの魔法使い』とか『小公女』とか、児童文学の名作を中心に読み漁《あさ》っていました。

綾辻　広く小説好きの子供、だったんですね。

織守　日本の本を海外で買おうとすると、どうしても取り寄せるぶんだけ高価です。今みたいに電子書籍もない時代で、定価の二～三倍ぐらいしました。お小遣いは全部本に消えてしまう（笑）。一年に一回、日本に一時帰国をしたときには、段ボールいっぱいに買った本を詰めて、向こうに送っていましたね。

編集部　ミステリジャンルに興味が湧いたのはい

つごろでしょう?

織守　中学生のころから肌に合うと感じていたようです。ドイツで暮らしていた時期に、誕生日プレゼントに京極夏彦《きょうごくなつひこ》先生の本をまとめて買ってもらったり。いわゆる新本格系の作品を熱心に読んでいました。

編集部　今日、つけていらっしゃるピアスも「本格」ですね。

織守　はい。本格ミステリ作家クラブに入会したときに、オーダーしたものです。ちなみに左のピアスのモチーフは、『時計館の殺人』です。

小説家になるため
弁護士を志望!?

綾辻　自分でも小説を書いてみようと思ったのは、いつごろだったんでしょうか。

織守　小学生のとき、壁新聞にお話を発表したりしていましたが……いちおう「作品」といえそうなのは、中学生のときに少女小説めいたものを書いたのが最初だと。当時、ワープロが普及しはじめたころでしたが、何せ中学生なので大学ノートに書いていました。今もノートはちゃんと残っていますが、怖くてもう手に取れません（笑）。

編集部　早稲田の大学院を出られたということですが、大学も早稲田で法律を学んだんですか?

織守　いえ、大学はＩＣＵ（国際基督《キリスト》教大学）です。教養学部というくくりで、いろいろな課目が学べるシステムでした。ＩＣＵを卒業後に早稲田のロースクールに進んだんです。

　大学三年生になって、そろそろ進路を考えなくてはいけなくなったときに、特に何になりたいということもなく……。会社勤めをしている自分はイメージできない。出版社で仕事をすることに憧れはあっても、あんな狭き門はくぐれないだろう。せっかくだから、やりがいがあって、小説のネタも拾えそうな仕事がいいけれど、警察官は身長が足りなくてダメだし、医者は理系科目が不得意なので無理そう。弁護士は、昔から母に「向いている」と言われていたのと、法律には多少興味があったので、「面白そうだし、これならなれるかも」と……。

ちょうど卒業する年にロースクールの第一回の受験があると分かったので、これは運命なのではと思って受験することにしました。とにかく手に職をつけたうえで、小説は書きつづけていきたい、と思って。弁護士になれば、小説を書いていても、「いい年して小説ばかり書いて」と言われることもないだろうと思ったんです。

綾辻　すごい。地に足がついてるなあ（笑）。それですんなりと早稲田の法科大学院に？

織守　それまでほとんど法律を学んだことがなかったので、わたしは三年間のコースに通いました。運よく、司法試験にも受かったから良かったですが、大変だったのでもう二度と受けたくないです。

編集部　はあぁ……（と、同席した編集者たちが溜息《ためいき》をもらす）。出版社に入るよりも、そっちのほうがずっと狭き門としか思えません。

綾辻　まず弁護士になって、そのかたわら小説を……というのは、ちょっと分かるなあ。僕は小学六年生の夏休みに書きはじめて、ほどなく「ミステリ作家になりたい」と思うようになったんですが、それを知った親たちから

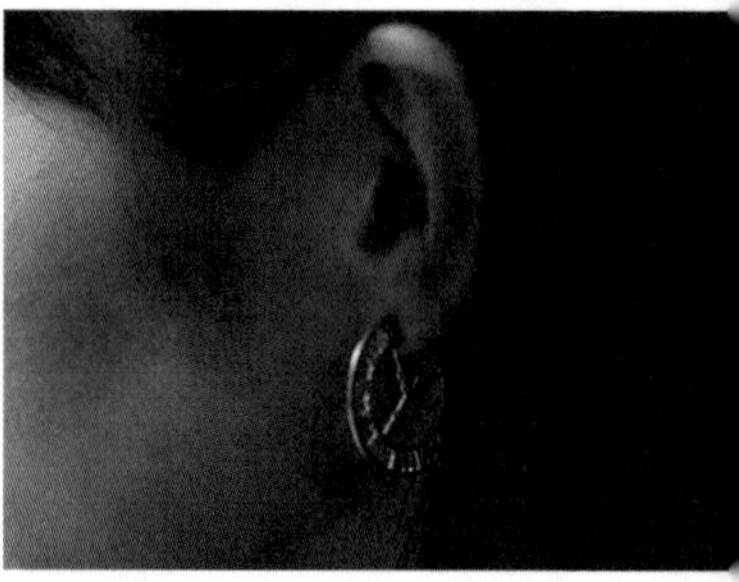

は、「そんなもので食べていけるわけがないから、とりあえず弁護士でもめざせば？」というオトナな助言があって（笑）。その影響で大学も、当初は法学部志望だったんです。ところが僕、ある時期から「法律」にあまり興味が持てなくなってしまって、けっきょく別の学部に志望を変更したの。

　でも、京大ミステリ研の先輩たちは法学部の人が多かったですね。ミステリといえば殺人事件などの犯罪、犯罪といえば検事や弁護士……というつながりが、やっぱりあるんでしょうね。ミステリ好きが高じた結果、検事や弁護士になったという知り合いもけっこういますし。

織守　私も、そんな感じです。でも、さすがに司法試験の受験前、半年くらいは創作断ちしていました。弁護士事務所に入って、さて安心して投稿を再開するぞ（笑）、と思ったときに講談社ＢＯＸ新人賞の存在を知ったんです。学生時代に原型ができていた『霊感検定』を直して送ってみたところ、ありがたく受賞することができました。

編集部　ＢＯＸ新人賞を獲《と》る以前の投稿先は？

織守　ミステリに限らない、広義のエンタメ小説を募集していた賞ですね。「野性時代」のフロンティア文学賞とかカドカワエンタテインメントNext賞とか。中学時代からずっと趣味のように小説を書きつづけてきて、まさかこうして綾辻先生と対談できるような日が来るとは思っていませんでした。

リーガル・ミステリに進出

編集部　ホラー小説大賞に『記憶屋』を応募したのは、『霊感検定』の続編が出たあとくらいのタイミングですか？

織守　そうですね。講談社ＢＯＸから三冊目の『ＳＨＥＬＴＥＲ《シェルター》／ＣＡＧＥ《ケイジ》』が刊行されるのと前後して、デビュー作以来の担当さんが異動してしまいまして。次もＢＯＸレーベルから新しい本が出せるかどうか不安な状況になってきて……。自分の書く場所がなくなってしまう前に、どこか開拓しなければと思ったんです。

綾辻　他社とのつきあいが欲しかったわけですね。

織守　はい。ＢＯＸの新人賞出身の岩城裕明《いわきひろあき》さんが『牛家《うしいえ》』でホラー小説大賞の佳作を獲られたのを見て、そうか、プロも投稿してかまわない賞もあるんだと知って。

綾辻　江戸川乱歩《えどがわらんぽ》賞なんかもそれはＯＫで、プロになってから応募して受賞した人も実際、何人かおられます。

織守　ミステリの賞はハードルが高く感じて……。読むのは大好きですけれど、わたしにとってミステリというと「新本格」の印象が強くて、トリックを作れない自分には無理だと思っていたんです。記憶が消えるというのは怖いことですから、『記憶

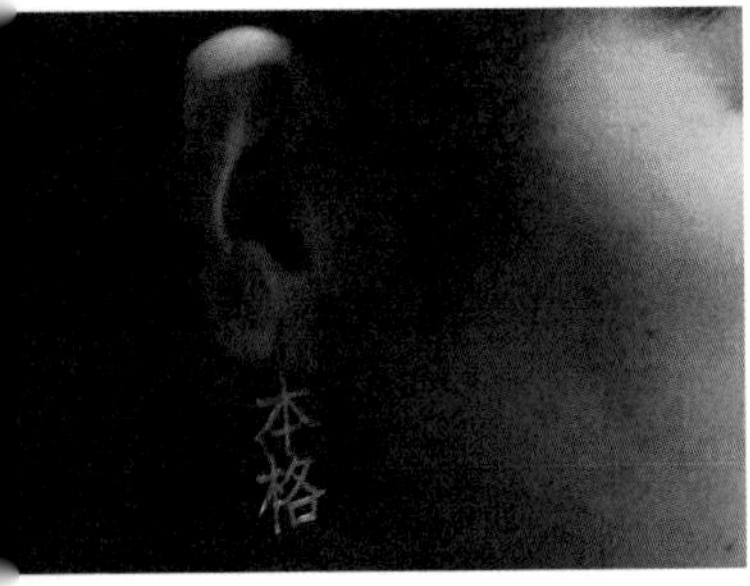

屋』は広義のホラーと言えるのではないかと考えて、ホラー小説大賞を応募先に選びました。

綾辻　読者賞って「当たる」んですよね。実質、書店員さんたちが支持して決めた作品だから、現場で力を入れて売ってくれる。

織守　本当にありがたかったです。モニター審査員として選んでくださった書店員さんが、コーナーを作ってたくさん置いてくださったり……。『記憶屋』は、出版社もですが、何より書店さんのおかげでたくさんの方に手にとっていただけた本だと思います。

綾辻　選評では僕、「〝怖さ〟が足りない」と注文をつけましたが、序盤で主人公の遼一《りょういち》が記憶屋の存在を確信するくだりはゾッとしたなあ。自分の記憶が欠落している事実にふっと気づく、というのは非常に怖い瞬間ですね。僕自身も〝記憶の不確かさ〟をテーマにいくつも作品、書いてきてますし……。

『記憶屋』の話を法月綸太郎《のりづきりんたろう》さんにしたとき、彼はすでに織守さんのことを知っていて、「『黒野葉月は鳥籠で眠らない』はいいですよ」と力説していたんですよ。今回の対談に備えて、僕も『黒野葉月』を読んできましたが、確かにいいですね。実際の弁護士業務はもっといろいろ生臭いんだろうなと思いますが、そういったリアリティには囚《とら》われず、木村《きむら》君という若い弁護士の真摯《しんし》な仕事ぶりが描かれているのが新鮮です。とても読み味が良くてリーダビリティも高くて、なおかつミステリとしての仕掛けも巧《うま》い。

織守　嬉しい……ありがとうございます。法月先生がおすすめしてくださったというのもすごく嬉しいです。

編集部　人間の強い意志が法律を味方につけることで生じるドラマが面白い。今までにないタイプのリーガル・ミステリだと思います。

綾辻　同じ木村弁護士が登場する『３０１号室の聖者』も、これは長編だけどやっぱりリーダビリティが高くて、とても面白かったです。先輩弁護士の高塚《たかつか》とのコンビ、いいですね。木村君の成長を見守っていきたい気持ちになる。

編集部　『黒野葉月』の収録作は、どれもアクロバティックなアイディアが光ります。「三橋春人《みはしはると》は花束を捨てない」など特に連城三紀彦《れんじょうみきひこ》風のテイストだと。

織守　実は、連城さんは大好きなんです。連城ミステリの影響は多分に受けていると思います。

綾辻　うん。確かに連城風ですね。でも、織守さんは根が「いい人」なんだろうなあ。登場人物にも善人が多くて、だから読み味も後味も良いんだけれど、連城ミステリをめざすのであれば、これでは済まされないいんじゃないかと（笑）。

織守　（不敵な口調で）いえ、いい人ぶってるだけかもしれませんよ。

綾辻　だとすれば、心強い（笑）。『黒野葉月』では、最初の表題作で「おっ」と意表をつかれて引き込まれました。何となくもっとダークな話の展開を予想していたらそうはならなくて、何で気づかなかったんだと悔しくなるような仕掛けがあって。連城さん的な逆転とはちょっと違って、すいっと〝斜め横へ滑らせる〟ような構図ですね。

弁護士は名探偵を夢見る

編集部　あえて異性の、男性弁護士を主人公にした狙いは？

織守　私と同じ弁護士で、しかも女性のキャラクターにすると、作者の分身のように思われてしまうんじゃないかと……それは避けたかったんです。照れもあるんでしょうか。それに、もともと、男性のキャラクターの視点で書くほうが書きやすいみたいです。

綾辻　弁護士の仕事は相当にお忙しいのですか？

織守　はい。事務所に入るときの面接で、「仕事はちゃんとするから、なるべく定時で帰りたい」と正直に話して採用されたわりに、帰りが遅くなることも多いので、ちょっとおかしいな、話が違うなと思っています（笑）。休日は、本を読んでインプットしているか、小説を書いているか。事務所の人も、わたしが小説を書いていることは知ってくれています。

綾辻　普段の弁護士業務は、織守さんの意識としては小説家業の取材も兼ねている？

織守　法廷の場面や、弁護士が被告と接見する様子なんかはリアルに書けるはずです。でも、実際の事件で小説に使えるようなものはそんなになくって。『黒野葉月』の感想をネットで見かけて、そこに「弁護士をやっていたらこういうことがあるんだな」というものがあったんですが、そんなわけないじゃないですか（笑）。こんなことは起きっこないから面白い、と一生懸命考えたネタですから。本当の事件で小説の参考になりそうなものがあっても、自分が担当した事件はさすがに書けません。た

だ、事件がらみで多種多様な職業の人の話を聞くので、それは話の中で活《い》かせますね。

編集部　法廷でミステリばりの逆転劇が起こることはありませんか？

織守　裁判中に「今、裁判官はこっちに傾いた」と確信できる瞬間は、たまにあります。そういうときは、「あっ、わたし、今かっこいいかも」とひそかに興奮しますね（笑）。

譲れないものが「作家性」になる

綾辻　こういうものを書いていきたい、という意気込みやこだわりを聞かせてください。

織守　自分の作風に近い、というとおこがましいですが、朱川湊人《しゅかわみなと》先生の作品にはすごく惹《ひ》かれるものがあって、ホラーはホラーでもミステリ的な仕掛けがあったりとか、ノスタルジックだったりとか、そういうものを書きたいと思っています。恒川光太郎《つねかわこうたろう》先生の作品もそうですよね。ただひたすら怖いホラーは、読むのは好きですが、読者はわたしにそれを求めていない気がして、書くのも二の足を踏むところです。

綾辻　まだデビューして四、五年でしょう？　読者のニーズを考えるよりも、自分の書きたいものを書いて読者を引っ張っていく、という気概も必要かと思います。

織守　はい。とっつきやすくて、普段は本を読まない人にも手に取ってもらえて、一方、玄人《くろうと》というか、こだわりの強い、ジャンル読みの人にも面白いと思ってもらえるものが書けたらいい、と……これは理想論ですが。

綾辻　それは……うん、僕もそう願いつづけて三十年です（笑）。『Another』を発表したときは、わりとその両方の手応えを感じたかな。――いや、しかし綾辻行人はそもそも、「今どき『十角館』みたいなタイプの作品は売れないよ」と言われたところから出発してますからね。

織守　あっ、今日は愛蔵版の『十角館の殺人』を持ってきたので、あとでサインしてください！　初めて綾辻先生の作品に接した『十角館』は別格として、もう一冊、わたしが偏愛しているのは『眼球綺譚』なんです。特に「再生」と「特別料理」の二編が印象に残っています。

綾辻　おお、ありがとうございます。『眼球綺譚』は僕の初めての、しかもホラーの短編集なので、自分でも思い出深い一冊です。「再生」も「特別料理」も、当時としては会心の作でした（笑）。

織守　「再生」の結末で主人公は絶望しているのか、それでも救いを感じているのか、いずれとも解釈できるところに惹かれます。「特別料理」は、イカモノ食いの果てに何を食べることになるかがポイントですよね。いずれこの人は食人に至るだろうということまでは予想がつきますが……最後の一言がとてもブラックで鳥肌が立ちます。

綾辻　タイトルが「特別料理」ですからね。スタンリイ・エリンの名作と同じタイトルをあえてつけたわけですから当然、エリンの作品の先まで行かねばならなかったわけで……って、こうして自分のホラー作品について語れるのは嬉しいなあ。去年（二〇一七年）は「新本格三十周年」ということで、とにかくあちこちで「館《やかた》」シリーズの話ばかりさせられたから（笑）。

この三十年を振り返ってみると、何を書くときにも必ず、何らかの形で自分がこだわりを持つ要素を作品に織り込んできたという自負はあります。編集部から内容についてあれこれ注文があったとしても、「ここは譲れない」という部分がある。それを守りつづけることがたぶん、作家性につながっていくんでしょうね。キャリア数年の織守さんの先はまだまだ長いですよー。

織守　はい、頑張ります。ニーズはさておき、書きたいものはあるので……これまで書いたことのないジャンルのものも。

綾辻　もしも織守さんが本格ミステリに挑むんだったら、一度はやっぱりシャーロック・ホームズを絡めてほしいかな。ロンドン生まれ・ロンドン暮らしの体験を活かさない手はない。

織守　以前、編集者さんから「外国を舞台にすると売れない」と聞いたことがあるので……。

綾辻　いや、外国を舞台にして売れた作品もたくさんありますから。内容と書き方次第ですよ。たとえば早い話、視点人物として日本人を一人登場させればOKでしょう。

読者を〝物語の波〟に乗せるには

編集部　せっかくの機会なので、綾辻さんに相談したい創作上の悩みなどありませんか？

織守　立てたプロットどおりに書けているはずなのに、構成が悪いのか、文章のリズムに問題があるのか、作品としてのグルーヴを感じないときがあるんです。まず、書いている自分が〝乗っている〟と感じない。とすると、読んでくれるほうも作品世界に引き込まれないのではと心配になってしまって……。

綾辻　うーん（――と、少し考え込んで）、訊《き》かれたからあえて指摘しますが、確かに織守さんの作品を読んでいて、中盤で少しもたもたしている印象を受けることがありますね。『記憶屋』にしても、これは連作中編形式の長編だからかもしれないけれども、序盤はほとんど文句なしなのに、二つ目以降のエピソードにはやや失速感がある。新しいキャラクターが登場して別のエピソードに切り替わるようなときは、オープニングよりもさらに吸引力のあるシーンから始めないと、どうしてもそこで読者の熱がいったん冷めてしまいがちです。

織守　連作形式でない長編なら、各章ごとにインパクトのある導入部を作るべきですか？

綾辻　基本、作るに越したことはないと思います。僕がよく使うのは、章の終わりを〝いいところで切る〟という手法。たとえば、これは、ジョン・ディクスン・カーが好んでやっているけれど、登場人物が何か重要なことを言おうとしたタイミングで雷鳴が轟《とどろ》くなどして聞こえない、そしてそこで場面を切ってしまう、とか（笑）。あこぎといえばあこぎなやり方ですが、効果は大きいですね。

　あと、小さな謎を次々に出していくことで読者の興味を引っ張るやり方。全体の仕掛け――大きな謎と解決は最後まで温存しておくにしても、小さな謎についてはは波状攻撃的に解決の提示を仕込んでいって、読者を退屈させないようにする。キャラクターの魅力やノリで小説を引っ張るのが僕は不得手《ふえて》だから、そういうスタイルにせざるをえないのかもしれませんが。

弁護士稼業はやめられない

編集部　そういえば、織守さんは民事と刑事と、どちらかを専門に扱っているんですか？

織守　どちらもやっています。

綾辻　新刊が出るたび百万部くらい売れるようになったら、弁護士は辞めますか（笑）。

織守　いったん辞めてしまうと、また登録するのは面倒なんです。仕事をしていて、得るものもありますし、まったく辞めてしまうということはないかな……毎月の弁護士会費を払っても余裕なくらいの収入が作家業で得られるようになったら、たまに国選事件だけ受けるとか、開店休業状態にするかもしれません。

綾辻　作家の顧問弁護士を引き受ければいいん

じゃない？　僕もうちの奥さん——小野不由《おのふゆ》美《み》も、かなりもう歳《とし》を取ってきて、なおかつ子供もいないから、「僕らの著作権、ふたりとも死んだあとはどうなるのかねえ」みたいな話になるんですね。いやな揉《も》め方をしないよう、ちゃんと遺言書を作っておいたほうがいいのかな、とか。

編集部　ゲストの若手を導くはずの対談が、ベテラン作家の法律相談になってきました。

綾辻　京大ミステリ研出身の弁護士にはこういう問題、かえってちょっと相談しにくくて。

織守　わたし、著作権法に強くならないといけませんね（笑）。

（二〇一八・一・十六　於／京都・東華菜館本店）

from織守きょうや

「京都対談」刊行おめでとうございます。

私は対談のお仕事はこれが初めてだったのですが、綾辻先生に終始リードしていただき、楽しくお話ができました。

綾辻先生は、出版社のパーティー等でも、新人作家たちがご挨拶すると、「○○さん、新刊が出ましたね」「○○さん、ちょうど今朝献本が届きましたよ」等と、それぞれにお声をかけてくださいます。お会いできるだけでも嬉しいのに、先生が自分の仕事を見てくださっている、とわかると、本当に励まされるので、そのたび、私も、後輩の作家さんにはできるだけ親切にしようと思います。

京都での対談も、私にとっては本当に贅沢《ぜいたく》な時間でした。

対談の後、お食事をご一緒して、二軒目のバーに移動してお話をしているとき、綾辻先生が「一緒にお食事もしたし、これで、もう気軽に声をかけられるでしょ。ごはん行きましょ、とか」と言ってくださったのですが……とんでもない。「できるわけないです」とその場でぶんぶん首を横に振ってしまいました。

まだまだ、やっぱり綾辻先生は雲の上の憧れの人です。でも、そんな先生がひょいっと雲の上から降りていらして、優しく声をかけてくださると、私たちは嬉しくて、少しでも先生に近づけるようにいいものを書くぞと頑張れるのです。

◉この対談で触れられていた書籍（登場順）

織守きょうや『霊感検定』（講談社文庫）
織守きょうや『記憶屋』（角川ホラー文庫）
澤村伊智『ぼぎわんが、来る』（角川ホラー文庫）
名梁和泉『二階の王』（角川ホラー文庫）
フランク・ボーム『オズの魔法使い』（幾島幸子訳／岩波少年文庫）
フランシス・ホジソン・バーネット『小公女』（脇 明子訳／岩波少年文庫）
織守きょうや『SHELTER／CAGE』（講談社BOX）
岩城裕明『牛家』（角川ホラー文庫）
織守きょうや『少女は鳥籠で眠らない』（講談社文庫）※『黒野葉月は鳥籠で眠らない』改題
織守きょうや『301号室の聖者』（講談社）
綾辻行人『Another』上下（角川文庫）
綾辻行人『十角館の殺人〈新装改訂版〉』（講談社文庫）
綾辻行人『眼球綺譚』（角川文庫）
スタンリイ・エリン『特別料理』（田中融二訳、ハヤカワ・ミステリ文庫）

織守きょうや（おりがみ・きょうや）
1980年、英国ロンドン生まれ。早稲田大学大学院修了。
第14回講談社BOX新人賞Powers受賞作『霊感検定』（2013年）でデビュー。
2015年には第22回日本ホラー小説大賞に応募した『記憶屋』が読者賞受賞の栄に浴す。
『記憶屋』は、2020年に山田涼介主演で映画化もされた。現役の弁護士である
経験を活かした連作物のリーガル・ミステリ『黒野葉月は鳥籠で眠らない』（15年）は、
連城三紀彦風のテクニカルな逆転劇の連続で注目を集める。

二〇一九年春、
第二十二回日本ミステリー文学大賞を
受賞し、綺羅《きら》星のごとき
歴代受賞者の列に並んだ綾辻行人。
今や大の字がつくヴェテランの域に入った
ホスト役が、雑誌「ジャーロ」連載時の
最後のゲストに指名したのは、
自身がその才能を見出《みいだ》し、
世に送り出した道尾《みちお》秀介《しゅうすけ》だ！

綾辻行人 × 道尾秀介

Ayatsuji Yukito　Michio Shusuke

†

綾辻　二〇一四年から始めたこの「京都対談」の連載も、今回が最終回になります。ラストは道尾秀介さんをゲストにお招きして、有終の美を飾ろうかと。

道尾　ありがとうございます。よろしくお願いします。

綾辻　こうして京都で道尾さんと対談をするのは十二年ぶり、です。「ジャーロ」の二〇〇七年夏号に掲載されたんでしたね。あのときは僕の家に来ていただいて、対談前にはちょっとギターで遊んだりもしたっけ。

道尾　ええ、ストーンズとか一緒に歌わせてもらったりして。対談では、発表直前の『ラットマン』のことをメインにお話しさせてもらいました。

綾辻　そうそう、『ラットマン』。「ジャーロ」のその号と次の号に二分載されたんでしたね。だから僕、あの作品は雑誌のゲラで先に読んだんだった。あれが何作目の長編だったのかな。

道尾　四作目か五作目くらいだったと。『ラットマン』に続いて『カラスの親指』を同じ年に出したのは覚えているんです。

編集部　（資料をめくりながら）……いや、道尾さん、『ラットマン』は七作目ですね。『背の眼』『向日葵《ひまわり》の咲かない夏』『骸《むくろ》の爪』『シャドウ』『片眼の猿』『ソロモンの犬』、そして『ラットマン』です。『ラットマン』の単行本刊行が二〇〇八年一月で、デビューからまる三年の節目だったんですね。

道尾　何が何冊目の本だったか分からなくなる

のも、嬉《うれ》しいものですね。

綾辻　たくさん書いてるもんねえ、道尾さん。作家としてのキャリアは僕、倍以上なのに、作品数はとうに抜かれてる（笑）。デビューから十五年、ずっと変わらないペースで走りつづけている感じですね。

横溝正史《よこみぞせいし》を追いかけたけれど

道尾　ぼくはミステリを一つのジャンルとして捉えて読んでいなかったので、デビューしてから「本格ミステリとは何ぞや」と手探り状態で、いろいろ勉強もしました。そうして、ミステリで何ができているか、何ができていないかが分かってくると、「できない」と思われているようなことをやりたいと思った。それで『向日葵の咲かない夏』を書いたんです。デビュー後第一作なので、あれがプロになって初めて書いた作品でした。

綾辻　それがあんな傑作だったんだから！

道尾　あのとき、お電話をいただいたのを、いまだに覚えています。固定電話をいつも留守電にしていたんですけど、綾辻さんの声が聞こえてから慌てて電話まで走って行って、受話器を摑《つか》んだんです。

綾辻　読みおえて興奮して、これは早くエールを送りたいと思って電話したの。長編二作目にして、チャレンジングな作品だったよねえ。あれって、もちろん素晴らしく面白い小説なんだけれども、読者の中にはちゃんと読み解けない人もいただろうし。でも結果、文庫になってから爆発的に売れたのはほんと、良かったよね。作品の力が基本ではあるんだけれど、強運を持っていないとなかなかあそこまでは売れない。

編集部　新潮文庫版『向日葵の咲かない夏』は、二〇〇九年オリコン年間本ランキング・文庫部門で一位になりました。

道尾　『向日葵』のラストは、ハッピーエンドなのかバッドエンドなのか。救いはあるのかないのか。その答えは、ぼくの中では明確にありますが、それを書いたら小説の幅が狭まる。読む人によって形を変えてくれるからこそ、読者が増えてくれたんだと思います。

綾辻　京都での対談は十二年ぶりだけど、この間、何度も会ってお話はしています。『びっくり館の殺人』の講談社ノベルス版が出たときの「巻末袋綴じ対談」もあったし、道尾さんが『貘《ばく》の檻《おり》』を出したタイミングで横溝正史をテーマに対談する機会もあった。ＮＨＫのＢＳプレミアム「シリーズ深読み読書会」でも、横溝作品が取り上げられたときに幾度か、一緒に出演しましたね。『八つ墓村』と『犬神家の一族』、それから『悪魔の手毬唄』のとき。

道尾　横溝は学生時代に、高価な絶版本も含めてすべて手に入れて読みました。金田一《きんだいち》作品に登場する全国の殺人現場をバイクで回って、この目で見るなんてこともやってました。バイト代を注《つ》ぎ込んでいましたね。

綾辻　そのエピソードだけを聞くと、立派なミステリマニアだよねえ。

道尾　そうかもしれません（笑）。でも、それだけ横溝作品を耽読《たんどく》していたのに、「本格」というジャンル概念さえ知らなかった。いまだにそれについては、これこれこういうものだという自分なりの考えは持たないようにしています。

綾辻　うん。そういうスタンスが道尾さんの場合、作風の広がりにつながっているんだろうし、それが道尾さんの強みだとも思う。単発作品がほとんどで、シリーズものは少ないですね。登場人物の名前が同じだったりするような、ちょっとした作品間のつながりはあるけど。最近のエンタメ系作家にしては珍しい気が。

道尾　同じことを二回やらないと決めているので、なかなか大変ですが、逆に綾辻さんのように同じ世界観でシリーズを書きつづけるのも、ものすごく大変なことだと思います。

〝謎〟は小説を動かすエンジン

綾辻　直木賞の受賞はいつでしたっけ？

編集部　（資料を見ながら）二〇〇八年の下半期から、戦後最多の五期連続候補に挙がって……二〇一〇年の下半期、第百四十四回の受賞ですね。受賞が決まったのは二〇一一年一月です。

綾辻　東日本大震災が起こる直前だったんですね。

道尾　そうです。直木賞の賞金をそのまま赤十字に寄附したのを覚えています。ニュースであの状況を目にしていながら、それを自分の手もとに置いておくなんてできないですよね。

綾辻　直木賞というのはやっぱり、当時の道尾さんにとってクリアすべきハードルだったんですか。

道尾　いえ、そもそもぼくは〝文学賞受賞作〟をほとんど読んだことがなくて……。だから、自分はあまり文学賞というものにこだわりがなく、どうして直木賞に担当編集者たちはこんなに色めき立つのだろうと不思議でした。結局、直木賞を受賞したから売れるという現象も起きませんでしたし。

綾辻　そうなの？　まあ、それより前からたくさん読者がついていただろうから。

道尾　文学賞の価値も、売り上げという意味ではだんだん下がってきているのかな、と。読者は、本当に自分の好きなものを選んで読む時代になっていると思います。

綾辻　僕、未読の道尾作品がわりとあるんです。ちょうど直木賞の候補に連続して挙がっていた時期の本が読めていなくて。『Another』とか『奇面館の殺人』とかの難物を書くのにいっぱいいっぱいだった、ということもあり（笑）。失礼ながら直木賞受賞作も未読なんだけれど、連続して候補に挙がっていたその時期も、ミステリから離れてはいなかった？

道尾　最初に直木賞候補になったのは、日本推理作家協会賞を受賞した『カラスの親指』なので、これはミステリですね。

それ以前で言うと、ミステリ関係ではない文学賞の俎上《そじょう》に載ったのは『ラットマン』が最初です。あれが山本周五郎《やまもとしゅうごろう》賞の候補になったのがきっかけで、ミステリ以外の関係者も注目してくれるようになりました。ぼくとしては、もともとミステリというジャンル概念を持たないところから小説を書きはじめたんですが、いま思えば、全部ミステリではあると思うんです。直木賞受賞作の『月と蟹《かに》』も、トリックこそありませんが、やはり人間心理のミステリを書いたものですし。

編集部　『月と蟹』は〝恐るべき子供たち《アンファンテリブル》〟もので、最後に二人の子供がやろうとしていることは一種、交換殺人めいたところがある。

道尾　ミステリはトリックがなければいけないものなんですか？

綾辻　いや、そんなことはない。僕だってトリックがないミステリも書いてるはずだし。必要なのは〝謎〟だよね。謎とその解決があればミステリ、でしょう。もっと広義のミステリになると、謎も解決もなくていい、みたいな話も出てくるけど（笑）。

道尾　謎はやっぱり、小説を読むときのエンジンになるので、欲しいですよね。いまだに自給自足的な気持ちで小説を書いているので、当然、自分の作品にはいいエンジンを積みたい。

綾辻　うんうん。道尾秀介はやはりずっとミステリ作家なんだな、と思えるのは嬉しいことです。

伏線を機能させる究極の方法とは？

道尾　小説を書くときは、ただ自分が読みたいものを書いているんです。『貘の檻』の対談のとき、綾辻さんに「『八つ墓村』へのオマージュが効いていたね」とおっしゃっていただいたんですが、そのことにもぼくはまったく無自覚でした。言われてみれば、『八つ墓村』も『貘の檻』も都井睦雄《といむつお》事件を匂わせるストーリーですし、何より『八つ墓村』の主人公の名前が「辰弥《たつや》」で、一方『貘の檻』は「辰男《たつお》」。大量殺人の犯人が「要蔵《ようぞう》」と「充蔵《じゅうぞう》」。重要な役割の女性が「美也子《みやこ》」と「美禰子《みねこ》」。そこまでニアミスしていることに、指摘されるまで気づきませんでした。

綾辻　そういうのは、意識する・しないにかかわらず、滲《にじ》み出てくるものなんだと思う。むかし読み込んだ横溝先生の作品だから、作家・道尾秀介の血肉になっていたんでしょう。『貘の檻』以降の近年の作品はどれも、ミステリ味が濃いよね。毎作、必ず何か仕掛けてくる。

道尾　〝仕掛け〟は大好きですね。

綾辻　道尾さんは、読み手の心理操作が抜群に巧《うま》いんだよね。読者に見えている場面や風景、抱くであろう感情……それらを書き手のほうが自由自在に、しかもナチュラルにコントロールしている、という印象です。近作だと僕、『透明カメレオン』には脱帽しましたよ。こっぴどく騙《だま》されて、なのに実に爽やかな読後感があるという、あれは道尾さんならではの傑作だと思う。

道尾　はい、あれは初めての試みでした。読者がずっと見てきた景色が、ある真実一つで、まったく違う色に変わる。文体を含め、作品全体が伏線になっているという。

綾辻　『スケルトン・キー』にしても、サイコパスを主人公にしたわりとストレートなサスペンスかと思わせておいて、あんな仕掛けをしてくるし。あのアイディアもさることながら、ダウンジャケットの破れとか、ああいう伏線をきちんと張っているところが優れものですね。本当に巧い。

道尾　伏線がきちんと機能しないと、仕掛けも意味がなくなってしまうんですよね。最後に驚かせるだけじゃいけない。伏線を、ちゃんと伏線として機能させるには、読者に何が書いてあったかパッと思い出してもらう必要がある。そのための一番の方法は、とにかく良い文章を書くことじゃないか。そうすれば全

部覚えておいてもらえるじゃないかと。だから、文章だけは常に磨きつづけているつもりなんです。

編集部　はあぁ……（と溜息《ためいき》がもれる）。文章を全部、というのは究極の伏線の張り方のような。

綾辻　今年の春に初めて、新人賞（横溝正史ミステリ&ホラー大賞）の選考を道尾さんと一緒にやったけど、文章にはうるさいものね。

道尾　ミステリにとって肝腎なのは文章だと、ぼく自身が信じているので。

綾辻　ちゃんと読んでもらわないことには、伏線があったと気づいてもくれない。「ここは読み飛ばしちゃおうか」と思われるような文章がないに越したことはないし、読んでも印象に残らないような文章では効果がない。――と分かっていても、実際にそのように書けるかどうか、ですね。

編集部　文章修業の秘訣《ひけつ》はありますか？

道尾　ぼくの場合は、英語の本を読むことです。今は、Netflixで話題になった『バード・ボックス』というSF映画が気に入って、その原作者ジョシュ・マラーマンの最新作"Inspection"を読んでいます。英語は日本語のようにすらすらとは読めません。ものすごく慎重に読まないといけないのでストレスが圧倒的に高くなる。そうすると、読みやすい文章なのかそうでないのかが、日本語を読んでいるときよりもよく分かります。それが日本語を書くときにすごく活《い》きてくる。

綾辻　トマス・H・クックに会いにアメリカへ行ったりもしたんだよね。

道尾　クックは大好きな作家で、自分の作家デビュー十周年の記念日にどうしても会いたかったんです。奥様のスーザンと三人で過ごしたんですけど、手作りのおつまみを食べさせてもらって、庭のウッドデッキでお酒を飲みながら小説に関する意見交換をしたのは忘れられない思い出です。

綾辻　こうして話を聞くと、道尾さんは「小説を書くこと」に対してどこまでも真摯《しんし》で、そしてアクティブですね。

道尾　もう、それに懸けるほかないですから（笑）。

ジャンルの枠にこだわってはいけない

編集部　話題をデビュー前後のころに一度、戻しましょうか。道尾さんがホラーサスペンス大賞に『背の眼』を応募したのは、綾辻さんが選考委員に加わったからだったとか。綾辻作品との初めての出会いは？

道尾　やはり「館《やかた》」シリーズですね。読んだの

は遅くて、社会人になってからでした。でも、それまでの読書量があったからこそ、衝撃も大きかった。最初に読んだ『十角館の殺人』は、いつだったかテレビの『お願い！ランキング』（テレビ朝日）でも紹介させてもらって。

綾辻　ありがとうね。道尾さんたちがそのように持ち上げてくれるおかげで、綾辻行人はずいぶん助けられています（笑）。

道尾　そのころのぼくは、小説の巻末解説や評論をいっさい読まなかったんです。横溝を読んでも「本格」を知らなかったように、綾辻さんの作品を手にしながら「新本格」を知らずにいた。

綾辻　でもそれが、「小説家・道尾秀介」を作る意味では幸いだったと。

道尾　何らかの〝囲い〟があるといけないと、常に思っています。特に小説のプロットを立てているときには。

いつも頭にあるのは、ロジャー・バニスター効果です。その昔、陸上競技の一マイル走で四分を切るのは、人間の身体能力では不可能だというのが常識とされていました。ところが、ロジャー・バニスターという選手が一マイル四分を切ると、他の選手も次々と四分の壁を破りはじめた。つまり、脳が勝手に制限をかけていたんです。ジャンルという〝囲い〟は、ぼくにとっては発想力を小さくするおそれがあるんじゃないかと思って。

綾辻　しかしデビュー後は、そうした〝囲い〟の情報が嫌でも耳に入ってくる。

道尾　『向日葵の咲かない夏』が本格ミステリ大賞の候補になって、「あっ、これは本格なんだ」と得心していたのに、選評を見たら「これは本格ではない」とか（笑）。

綾辻　僕は、あのときは島田荘司《しまだそうじ》さんの『摩天楼の怪人』に票を投じたんだったかな。『向日葵』はまぎれもない傑作ミステリだし、「本格ではない」とも思わないけれども、僕が持っている「本格」の物差しで測ると、『摩天楼』に軍配が上がることになったんです。

編集部　本格ミステリ大賞は、作家・評論家の投票によって受賞作が決まります。当時、『向日葵』が候補作になって初めて道尾秀介という新人を知った実作者がほとんどだったと。

綾辻　道尾さんの作品はもう、「道尾秀介」というジャンルになっているから、何を書いても強い。デビュー十五年で、大したものです。憚《はばか》りながら、僕が書くものもある程度は「綾辻行人」というジャンルになっていると思うんだけど、いまだに「新本格」なる看板を背負わされているところもあるから、これはこれ

でなかなかしんどいんだよ（笑）。

小説を商品改良する試み

編集部　道尾さんの最新作『いけない』の話題に移りましょう。第一話の「弓投げの崖を見てはいけない」は、競作アンソロジー『蝦蟇倉《がまくら》市事件』のために書かれたものでした。

道尾　『蝦蟇倉市事件』は、もう十年近く前の競作企画です。架空の街を舞台に、皆で競作しようというコンセプトでした。

アンソロジーに寄せた中編を、ぼくはものすごく気に入っていたんです。のちに、別の版元から中編の依頼が舞い込んだとき、「何を書いてもいい」という話だったので、「弓投げの崖を見てはいけない」の世界観を広げるものにしようと。そのとき、最後の一ページに一枚の画像があって、それが小説のすべての意味を変えるという構造を思いつきました。

綾辻　そっか。『蝦蟇倉市事件』のときはまだ、そういう構造ではなかったんですね。

道尾　そうなんです。実は『蝦蟇倉市事件』のときも同様に、蝦蟇倉市の地図をよく見ると誰が死んだかが分かる仕掛けだったんですが、ぼくが作った地図が書籍化のときに改変されて、それが充分に機能しなかった歯がゆい気持ちがあって……。今回は地図も自分で最後まで作成して、原稿も全面的に手を入れました。

綾辻　道尾流ミステリの究極とは言わないけど、その特長がすごく凝縮されたような作品に仕上がっていますね。いわゆる「語り落とし」や「省略」を効果的に駆使する作法。叙述トリックの一種ではあるんだけど、そう思わせるほどあからさまな仕掛けでもなくて……複数の省略をちりばめながら、巧みに読者をミスリードしていくんだよね。重要部分の省略によって生じるストーリーの隙間を、読者は自分の想像で埋めていくわけだけど、そこでまんまと作者の術中に落ちてしまう。

『いけない』の場合は、最後に地図や写真を持ってきて、そのたった一枚を「見る」ことで読者が「真相」を悟る、という構造です。実に遊び心あふれる、けれども難度の高いチャレンジで、なおかつ見事に成功していますね。これってもしかして、近年テレビのクイズ番組に出演していたことも関係あるのかな。

道尾　あるかもしれません。『今夜はナゾトレ』(フジテレビ系)の中で「一瞬ミステリー劇場　瞬間探偵！　平目《ひらめ》木駿《きはやお》」というコーナーを任されて、映像から答えが導かれる推理クイズをずっとひねり出していた。頭の筋肉の、普段使っていないところが鍛えられた気はします。（グッと身を乗り出して言葉を続ける）本が売れなくなってきた近年の状況は、ぼくもすごく実感しています。いろいろな人から話を聞きますし、実際、全国で書店さんがどんどん減っている。世の中のあらゆる商品は、それが売れなくなってきたら、まず商品改良をしますよね？　でもなぜか本だけは、昔のままで良しとされている。読まなくなった人のほうが良くないという言われ方をされる。市場が下り坂になってきたのなら、小説家が〝囲い〟から脱して商品改良に取り組まなきゃいけないとも思うんです。

綾辻　ほう？

道尾　今はNetflixとかAmazonプライムとか、あるいは無料のアプリゲームとか、小説のライバルたる娯楽がたくさんあって、そこに立ち向かっていく必要がある。その試みの一つが『いけない』でした。

編集部　なるほど。十数年前にイラストや地図でオチをつけて読者を楽しませようとした蘇部《そぶ》健一《けんいち》さんは、すでに革新的だったということに……？

綾辻　『木乃伊《ミイラ》男』っていう本でしたっけ、蘇部さんのそれ（と、遠い目をする）。まあ、似たことを思いついても、仕上がりはいろいろであるということで。

　第二章の「その話を聞かせてはいけない」は、読みながら『向日葵の咲かない夏』を思い出したなあ。中国人少年の視点で書かれたあの地の文はクセモノですね。どこまでが現実でどこからが想像なのかの見きわめが、そうそう簡単ではない。相応に高いレベルでの読み解きが必要なんだけど、これも最後に〝一枚の絵〟を提示することで、嫌でも読者に積極的な読み解きを促す。昨今のエンタメ作品としてはかなり冒険的かも。

道尾　そうして冒険して、いろいろ苦労して出来上がった『いけない』がすごく好評で、珍しく続編を書きたいと思っています。舞台は別の架空の街にするかもしれませんが、最後の一ページが画像であるという構造は踏襲するつもりです。

綾辻　デビューから十五年経《た》ってもまだまだ創作意欲が衰えないのは頼もしいし、羨《うらや》ましくもあります。僕の場合は……ああ、ちょうど『暗黒館の殺人』を書いていた時期がデビュー十五年か。あれはあれで大変だったなあ（笑）。

新人発掘に懸ける バトンリレー

編集部　綾辻さんが世に送り出した形の道尾さんですが、その道尾さんも今では新人を世に送り出す側になっています。

道尾　最初に選考委員の依頼が来たのは二〇一四年の横溝正史ミステリ大賞で、綾辻さんからバトンを渡された恰好《かっこう》でしたね。

綾辻　そうそう。僕はその年から、同じＫＡＤＯＫＡＷＡ主催の日本ホラー小説大賞に回ったんだった。

道尾　選考委員を引き受けるかどうか迷ったんです。やっぱり負担が大きいので……。

編集部　けっこう時間を取られますからね。

道尾　それもあるんですが。（次の一言は小声で）それまでの人生で、〝読みたくない小説を読む〟という経験が一度もなくて……いや、誰でも普通そうだと思うのですが。
　でも、そのとき綾辻さんに「道尾くんも新人賞でデビューしたんだから、恩返ししなきゃ」と諭され、確かにそうだと。実際やってみると、こんなに小説の勉強になるとは思いませんでした。文体が甘かったり仕掛けがヌルかったり、新人さんの原稿のどこがどうダメなのかを言葉にして「選評」を書かなければいけない。それが自分への戒《いまし》めにもなってくれます。

綾辻　「良い」作品や才能を見つけたときの喜びもあるでしょ？

道尾　そうなんですよ。選考委員のあいだで意見が割れたりするときは、自分が「良い」と思う作品をどうにかして救いたい。白井《しらい》智之《ともゆき》さんの『人間の顔は食べづらい』は、有栖川《ありすがわ》有栖《ありす》さんとぼくの二人が支持して、他の委員の評価は高くなかった。受賞はしなかったけれど、いざ単行本化されると「よくぞこの人をデビューさせてくれた」という声が多く聞こえて、すごく嬉しかったですね。

綾辻　辻村《つじむら》深月《みづき》ちゃんが嫉妬していたとか（笑）。辻村さんにも僕、「いずれ選ぶ側に回って……」と言ってあったわけ。彼女は彼女で、それを素直に呑《の》み込んでくれて、すでにいくつかの新人賞の選考委員を務めているけれど、何でも「道尾さんは白井さんを引いたのに、私のところには〈白井智之〉が来ない！」と嘆いていたそうな。まわりの反対をものともせずに自分が〝激推《げきお》し〟した才能が世に認められる、という構図に彼女、憧れがあるみたい。

道尾　いやでも、会ってみると白井さんは飄々《ひょうひょう》とした性格ですから、有栖川さんとぼくにそ

んなに恩義は感じてくれていないと思います（笑）。「あ、どうもその節は」みたいな。

綾辻　さっき、道尾さんはもう「道尾秀介」というジャンルの作家だから、と言ったけれど、それでもやっぱり、大きな意味でミステリの文化風土の中にあって、それを支えている一人だと思うの。道尾さん自身はジャンルに縛られて書く必要はないけれども、「これは！」という才能をミステリの新人賞で見つけたときは力いっぱい推してあげてね。

道尾　はい。ぼく自身、選考委員の綾辻さんが『背の眼』をごり押ししてくれなければ小説家をやれていませんから。

綾辻　いやいや、あのときじゃなくても、いずれ道尾さんは世に出たでしょう。ただ、あのタイミングでたまたま僕が『背の眼』を読んだことで、道尾秀介を「ミステリ作家」の範《はん》疇《ちゅう》に引き込むことができた。これは自分の功績だったなあと（笑）。

道尾　『背の眼』でデビューできたからこそミステリの勉強をして、今も自分を「ミステリ作家」と呼んでくれる読者がいるのはありがたいと思っています。

（二〇一九・八・七　於／京都・膳處漢《ぜぜかん》ぽっちり）

from 道尾秀介

「浮世離れ」という言葉を聞くと、昔は仙人のような、あるいは松尾芭蕉《まつおばしょう》や鴨長明《かものちょうめい》のようなイメージがなんとなく頭に浮かんだけれど、作家になってからはもう綾辻さんしか浮かばない。何度もお会いし、もちろんこうして対談もさせてもらったし、いっしょにご飯も食べればギターセッションもすればカラオケも行っているのに、僕にとってはいまも「あの綾辻行人」であり、「あの」の部分が浮世から存在を引き離したままでいる。

僕たち後輩作家への態度も、まったくもって浮世っぽくない。作品を面白いと思ったとき、このうえなくフランクに褒め、喜んでくれる。近所のアジア料理店を大声で褒めるアジア料理店経営者や、他社のパソコンに拍手喝采するビル・ゲイツがいるだろうか。

「あの」の部分が消えてくれないのは、きっと、まだ自分にそれができる自信がないからだろう。いまのところ僕は浮世密着型というか、極めて人間くさい人間で、いつか綾辻さんのようになれたらと思うけれど、なかなか難しい。仕方がないので、当面は「この」道尾秀介として、浮世の出来事を書きつづけていこうと思っている。

◉この対談で触れられていた書籍（登場順）

道尾秀介　『ラットマン』（光文社文庫）
道尾秀介　『カラスの親指』（講談社文庫）
道尾秀介　『背の眼』上下（幻冬舎文庫）
道尾秀介　『向日葵の咲かない夏』（新潮文庫）
道尾秀介　『骸の爪』（幻冬舎文庫）
道尾秀介　『シャドウ』（創元推理文庫）
道尾秀介　『片眼の猿』（新潮文庫）
道尾秀介　『ソロモンの犬』（文春文庫）
綾辻行人　『びっくり館の殺人』（講談社文庫）
道尾秀介　『貘の檻』（新潮文庫）
横溝正史　『八つ墓村』（角川文庫）
横溝正史　『犬神家の一族』（角川文庫）
横溝正史　『悪魔の手毬唄』（角川文庫）
綾辻行人　『Ａｎｏｔｈｅｒ』上下（角川文庫）
綾辻行人　『奇面館の殺人』上下（講談社文庫）
道尾秀介　『月と蟹』（文春文庫）
道尾秀介　『透明カメレオン』（角川文庫）
道尾秀介　『スケルトン・キー』（ＫＡＤＯＫＡＷＡ）
JOSH MALERMAN "INSPECTION" (Del Rey)
綾辻行人　『十角館の殺人〈新装改訂版〉』（講談社文庫）
島田荘司　『摩天楼の怪人』（創元推理文庫）
道尾秀介　『いけない』（文藝春秋）
『晴れた日は謎を追って がまくら市事件』（創元推理文庫）※『蝦蟇倉市事件1』改題
蘇部健一　『木乃伊男』（講談社文庫）
綾辻行人　『暗黒館の殺人』全4巻（講談社文庫）
白井智之　『人間の顔は食べづらい』（角川文庫）

道尾秀介（みちお・しゅうすけ）

1975年生まれ。

2004年、第5回ホラーサスペンス大賞に投じた『背の眼』が特別賞を受賞し、作家デビュー。

当代切ってのストーリーテラーで、殊に“恐るべき子供たち《アンファンテリブル》”を描いては秀抜。

『カラスの親指』（2008年）で日本推理作家協会賞を、『月と蟹』（10年）で直木賞を
獲得した他、文学賞の受賞歴はこのスペースに全部を記せない。

2020年、ソニー・ミュージックエンタテインメントよりミュージシャンとしてもデビューを果たす。

オフィシャルサイト：michioshusuke.com

光文社のミステリ専門誌
「ジャーロ」に二〇一四年春から
五年越しで不定期連載された、
通称「京都対談」。
それが豪華オールカラーで一冊に
まとまるにあたり、
ホスト役の綾辻行人が
〝語り下ろし《ボーナストラック》〟の対談相手として
招いた十人目のゲストは、
まさに「秘蔵っ子」と呼ぶべき
辻村《つじむら》深月《みづき》だ！

綾辻行人 × **辻村深月**

Ayatsuji Yukito　Tsujimura Mizuki

†

綾辻 今日はわざわざ京都まで、ありがとう。

辻村 よろしくお願いします。ずっと「ジャーロ」で対談をされているのを見ていて、「私は呼ばれない子なのかな？」と心配していたんです（笑）。

綾辻 いやいや、道尾《みちお》秀介《しゅうすけ》と辻村深月は最後のほうで呼ぼう、というのが当初からの予定で。そういえば、辻村さんと京都でお会いするのは初めてですね。

辻村 はい。それに、綾辻さんとの対談は、デビューして間もない時期に一度あったきりです。

綾辻 ええと（額に手を当てて）……ああ、確か僕が『Another』の連載を始めたときに「野性時代」誌上で、でしたっけ。もう十四年ほども前。ずいぶん時が経《た》ちましたね。辻村さんはデビューして何年に？

辻村 二〇〇四年のデビューなので、今年で十七年目になります。

作家デビューの知らせは京都から

編集部 まずは辻村さんに、綾辻作品との出会いを振り返ってもらうところから始めますか？ 小学六年生のとき『十角館の殺人』を読んで衝撃を受けた、という周知の話ですが。

綾辻 お、その話からですね。じゃあここでまず、辻村さんに懺悔《ざんげ》してもらわなければならない。

辻村 （周囲の編集スタッフを見まわしながら）私の読者にまず『十角館の殺人』から手に取ってほ

しくて、繰り返し〝『十角館』との出会いの衝撃〟を語ってきたんですが……本当は一番最初に読んだのは『迷路館の殺人』だったんです。そのことをずっと言いそびれていたのですが、一昨年、喜国雅彦《きくにまさひこ》さんが個展を開かれたさい、私は幸運にも文庫新装版『迷路館の殺人』の原画を買えたんです。あまりにそれが嬉《うれ》しかったから、綾辻さんに「実は最初に読んだのは『迷路館』だったんです」と告げたら、「嘘《うそ》つきじゃん」と返されて。

綾辻　あちこちで「『十角館』が最初の衝撃」と語ってくれてるから、僕もすっかりそう信じていたもの。まあ、嘘つきでしょう（笑）。

辻村　そんな大罪だとは思わず、動揺したんです（笑）。今回の「京都対談」が、その事実を公にする、またとない機会になりました。

でも、シリーズものだと意識せずに読めた『迷路館』の読書体験はいま思い出しても格別なものでした。誰それはレギュラーキャラクターだから被害者にならないだろうとか、そういう〝構え〟が全然なく、最後に真相が分かったときに、だからこういう設定だったんだ！という驚きが随所にあって。今でも『迷路館』が大好きです！

編集部　懺悔は終了ということで（笑）。話を進めましょう。

綾辻　デビューして十七年目か。いやあ深月ちゃん、立派になったねえ。

辻村　綾辻さんには、ずっと変わらず接してもらっています。今の私に対するのと、ファンレターを書いていた高校生の私に対する丁寧さが同じなのがありがたいことだと。

綾辻　それは僕があまり成長のない人間だから、かも（笑）。

辻村　去年（二〇一九年）から横溝正史《よこみぞせいし》ミステリ&ホラー大賞の選考をご一緒させてもらって、「こんな日が来るなんて、人生は分からないものだ」と感慨深いです。まさか綾辻さんと同じテーブルに着いて、次に作家になる人の応募原稿に意見しているなんて。

綾辻　本当にそうですよね。辻村さんとは、辻村さんがまだ高校生だったころから交流があって、手紙やメールのやり取りもしていたしね。『冷たい校舎の時は止まる』がメフィスト賞を受賞した、あのときは驚いたなあ。

二〇〇四年当時、連載の終わりが近かった『暗黒館の殺人』の打ち合わせで、講談社のK氏が京都に来てくれたんです。そのとき彼が、「さっき新幹線の中で読み終えた新人の原稿があるんですが、これがいいんですよ。次回のメフィスト賞はもう決まりです」と。さらに「作者は千葉大学のミステリ研出身の女の子で」と言うものだから、あれれ？　と思って。「それって、ひょっとして〇〇〇〇（辻村さんの本名）さん？」と訊《き》いたら、「何で綾辻さん、知ってるんですか！」とK氏もびっくりしてね。そんな流れで、「このさいだから、僕から彼女に受賞を知らせましょうか」ということになった。

辻村　家の電話に「綾辻行人」から電話がかかってきたのが衝撃でした（笑）。いつかは「作家になりました！」と報告できるのを夢見ていたんですが、まさか綾辻さんから作家デビューが決まったことの連絡が来るだなんて。

綾辻　あんな巡り合わせは普通、ないよねえ。

辻村　あのとき、実は、二十四歳の私は故郷の山梨で就職していたのが後ろめたかったんです。作家志望や漫画家志望で東京に残っている友人もたくさんいるのに、まるで自分は夢を諦めたように思われそうで。だから、あのときの電話で、「一度戻って就職したのも良かったですね」と言ってくださったのに救われました。

綾辻　それはほんと、良かったと思ったから。僕はデビューしたとき大学院生で、一度も就職してなかったので、まあ当然、実体験としては大学までのことしか知らなかったわけ（笑）。だから、辻村さんが大学を卒業して、まずは普通に就職したと聞いたときには、いずれ作家になるつもりなら、いろいろな社会経験を積んでおくに越したことはないからと、真面目にそう思ったんですよ。でも、そうだな、自分がもっと若いころだったら、そんなふうには思わなかったかもしれませんね。

本格のシステムをインストール

編集部　辻村さんのデビュー作『冷たい校舎の時は止まる』は、二〇〇四年の六、七、八月にそれぞれ上、中、下巻が連続刊行されました。

綾辻　僕はゲラの段階で読んだはずですね。それで、「うーん。この作品にはやっぱり、綾辻行人の影響があったりもするなあ」と思ったものでした。

辻村　そんなふうに思っていただけたなら本望です。『冷たい校舎の時は止まる』を含め、特にデビュー前の作品はどれも「綾辻さんの真似《まね》」と言われるのを覚悟で書いていました。けれど、いざデビューしてみると、「ぜんぜん作風が違うのに綾辻ファンなんですね」とよく言われて、それはそれでショックでした（笑）。

綾辻　あのゲラを読んだとき、僕はK氏に、「ちょっと長いんじゃないか」と正直な感想を述べたんですよ。ところが彼は、「削ったほうがいい部分がたくさんあるのは確かですが、この作品はこのまま丸呑《まるの》みしようと思う。この子にはこれで絶対にファンがつきます」と言い切ったのね。結果、彼の編集者としての目が正しかったことになります。

辻村　削ればいいというか、今なら別の小説として切り離すだろう部分も確かにあります。でも、かえってそういう部分に、今の私が容易《たやす》く否定できるものではない〝必死さ〟を感じるんです。だから、あの形でデビューさせてくれたKさんには心から感謝しています。

綾辻　『冷たい校舎の時は止まる』は、ホラー的な特殊設定を用いた中での本格ミステリになっていますね。

辻村　もちろん自分では本格ミステリだと思っていたんです。そうしたら、「本格じゃないけど、辻村もいいよね」というふうな評価をけっこう耳にして。同時期に道尾秀介さんがデビューしたんですが、彼と「同期」だったことで気持ちよく引導を渡してもらえたんですね。「なるほど、こちらが本格派の本家の人で、自分は分家の子だ」と思ったら、すごく気が楽になりました（笑）。分家は跡継ぎの重圧が

ないから、自由なことをしてもいいのかも、と。

綾辻　辻村さんの最大の才能は、本格ミステリに限らず「いろいろなものを本当に好きになれること」だと思うんですね。これをできる人というのが、実はなかなかいない。たくさんある「好きなもの」の滋養を貪欲に吸収して、みずからの創作活動に活《い》かしていく。それをナチュラルにずっと続けてこられた、という印象です。

　だけど僕は一度、辻村さんに意地悪な質問をしたことがあったね。何かの雑誌で「辻村深月への質問」という企画があって、あれで僕、質問の一つとして確か、「いろいろなものが大好きな辻村さんですが、嫌いなものを教えてください」と（笑）。何と答えたんでしたっけ？

辻村　『ダンサー・イン・ザ・ダーク』が嫌いです、って。主人公に大事なものの優先順位がないのがどうにも許せなくて。

綾辻　あの質問を見たとき、「うっ」と思った？

辻村　ああ、綾辻さんに頼むとこうなるんだよ、と参りました。よくも悪くも「優等生」でいられてしまうのが私のコンプレックスなんです。自分で「優等生」なんて言うのはおこがましいかもしれないですけれど、昔から、いろんなことをそつなくこなそうとしてしまうところがあって。そのイメージを綾辻さんが剝がしにかかってきた（笑）。

綾辻　確かに辻村さん、作家になってからもずっと「優等生」だよね。素敵な旦那さんも、可愛《かわい》いお子さんもいるし。

辻村　それもですか（笑）。

綾辻　僕は結婚式でお祝いのスピーチもしましたから。

辻村　「クリスティの『そして誰もいなくなった』のような状況で次々と人が殺されていったとき、仮に〝最後の二人〟になったとしても、決してお互いを疑い合わないような、そんな二人の関係を築いていかれますように」と。

綾辻　ミステリ作家らしい、なかなか素敵なスピーチでしょ（笑）。あれ以来、結婚式で挨拶を頼まれたときの持ちネタになっています。

辻村　さっきの「いろいろ好き」の話ですが、私は綾辻さんと仲のいい作家さんや漫画家さんが、一人として思い入れがない人がいないぐらい好きで、お会いできる機会があると「キャー！　大好きです！」とはしゃいでしまっていたんです。そんなふうに「好き、好き」と言っていたら、「あの子、誰にでも好きと言ってない？」と綾辻さんのまわりで噂《うわさ》になっていると聞いて（笑）。すごくミーハーな人に思われてしまったと反省もしたんですが、よくよく考えると好きなものの地図の中心が綾辻さんだから、そうなるのは仕方ないんですよね。

綾辻　エッセイ集も含め、僕の本は全部読んでくれていたものねえ。当然のように、そうなっちゃったわけか。

辻村　中でも綾辻作品を入口に、本格ミステリの世界と出会えたことには感謝しています。特に叙述トリックの、驚きが感動と一緒になるカタルシスがたまらないので、自分は恋愛小説と呼ばれるものを書いても青春小説と呼ばれるものを書いても、自分がこれまで読んできた〝本格のお手本〟から学んだ手法で書いていると感じるんです。それが殺人の謎解きでなくても、作中に潜ませた誰かの秘密や真相を、必ず何かしらのトリックや仕掛けを用いて届ける形に自然となっていく。

それって、コンピュータでいうOSのようだなぁと感じることがあって。自分の中には本格ミステリというOSがインストールされているから、何を書いてもそれによって処理されて出てくる。私個人のプログラムっぽいのは、謎の存在を明確にしておかないことですね。何が秘密であるかを明かさずに、ずっと普通のお話として書いていって、ある瞬間、突然それを開示する。そのため、ミステリというOSが入っていない人にも「普通の小説」として読んでもらえるのかもしれないし、ときには「ミステリではない」という分け方もされる。ただ、ミステリだとは思わず手に取った人に、謎が解かれる楽しさや、こういう手法の小説があるのだということを、私の本を通じて知ってもらえたなら幸せに思います。

本格ミステリの鬼の目にも涙

編集部　今回の対談にあたって、綾辻さんから辻村さんに、「自分の作品の中で最も本格ミステリ度が高いと思うのはどれか教えて」と尋ね

てくださったそうですが？

綾辻　はい。そうしたら、この二冊を挙げてくれた（と言いながら、手もとの鞄《かばん》から『ぼくのメジャースプーン』と『かがみの孤城』を取り出す）。そこで、改めて精読してきたんですが。この二作、発表時期はだいぶ離れていますね。

辻村　『ぼくのメジャースプーン』はデビューから三年目（二〇〇六年）に発表した初期の作品です。『かがみの孤城』は、本になったのが二〇一七年ですね。

編集部　『かがみの孤城』の奥付を見てみて、おや？　と思ったんです。ポプラ社の「asta*」誌に二〇一三年十一月号から翌年十月号まで連載されたものが、なぜか二〇一七年まで本にまとまっていなくて。

辻村　ああ、それは話の全部を連載したわけじゃなく、半分ぐらいでやめたからなんです。

綾辻　あ、そうなんだ。

辻村　『かがみの孤城』は主人公が過ごす中学生活のおよそ一年間を描いた本ですが、途中、夏休みが明けたあたりまで書き進んだときに「分かった！」と膝を打つ瞬間があったんです。鏡の中の城に呼ばれた中学生たちが、いったいどこから来たかの〝踏切板〟がようやく分かって、そこで連載はやめさせてもらったんです。

編集部　謎解きの〝答え〟が見えないうちに連載を始めていた、ということ？

辻村　ええ、そうですね。

綾辻　変わってるなあ、それは。

辻村　でも私、ほとんど全部の作品がそうなんです。最後まで話ができていないのに書き出してしまう。だから、自分の書くものが厳密にはミステリと違うのかもと思うのは、ゲームの『ぷよぷよ』でいえば〝まぐれ連鎖〟に頼っているところがあるからです。『ぷよぷよ』の達人は、どこでどう連鎖を起こすかあらかじめ計算している。けれど、私の場合は、とにかく話を積み上げているうちに思いがけず連鎖が起こるのを待っているんです。

綾辻　そのやり方だと、〝答え〟が分かったあとの続きを書くのに、前のほうもずいぶん手を入れないといけないのでは？

辻村　いえ、それがたいてい、そんなに直さずに済むんです。話の形がはっきり分からないまま書いているんだけれど、話のほうがそうあるべき終着点に私を連れて行ってくれるような。

綾辻　なるほど、そういうことが起こるタイプの作家なんですね、辻村さん。『ぼくのメジャースプーン』に比べると、『かがみの孤城』はリーダビリティがものすごく上がっていますね。間口も広くなって、本屋大賞を受賞したのもむべなるかな。いろんな意味で『かがみの孤城』は素晴らしい作品だと思いますが、一方で『ぼくのメジャースプーン』には『かがみの孤城』にはない〝熱〟を感じます。主人公の小学生たちを本当に一生懸命に書いている。作者の気迫というか、切実感が伝わってきて、僕は好き。

辻村 『ぼくのメジャースプーン』は、たぶんこの先、私がどれだけ小説が巧《うま》くなったとしても、もう二度と書けない話だと思っています。

綾辻 ほとんど「問答」でできています。こういう形で長編を書くことにチャレンジして、書けることを証明したんですね。本格ミステリ度でいうと、『ぼくのメジャースプーン』のほうが高いかな。

編集部 論理的論理小説、あるいは論理的倫理小説と呼ぶべきでしょうか。罪と罰のバランスの問題を突き詰めて考えた、とにかく異彩を放つ内容です。

辻村 『ぼくのメジャースプーン』は、他の作家さんなら短編にする話かもしれないなぁと、当時、思いながら書いていました。が、これが長編になったのも、実は〝答え〟がまだ出ていない状態で筆を執って、自分自身、主人公の小学生と一緒に〝答え〟を探していたからなんです。「犯人」にふさわしい罰がなんなのか、それが本当にあるのか、私も必死に考えた。

綾辻 『ぼくのメジャースプーン』も『かがみの孤城』も、昨今ではすっかり定着してきた、いわゆる特殊設定ミステリですね。現実世界からは離れた設定を作って、守られるべきルールを提示して、その枠組みの中での思考・推理によってロジックが組み立てられていく。さらに、その設定ならではの〝仕掛け〟が用意されている。――と、そういう創作姿勢というかノウハウが、デビュー以来一貫しているように思います。

辻村　『かがみの孤城』は、私の中では『冷たい校舎の時は止まる』を約十五年経て〝再演〟し、特殊設定をやり切れた感もあります。

綾辻　『かがみの孤城』の終盤の伏線回収は圧巻ですね。僕は本来、あまりこういった〝優しいお話〟は好きじゃないんですが……（ぼそっと小声で）不覚にも最後は泣いちゃったよ。

辻村　えええええーっ！　嬉しい！　ちょっと（と、周囲の編集スタッフを見まわす）、みんな聞いてくれました!?

（一同爆笑）

綾辻　『かがみの孤城』は辻村深月の、原点回帰であり集大成でもある、という位置づけなのかな。

辻村　そうですね。螺旋《らせん》階段に喩《たと》えてくれた人もいます。マップ上では同じ地点にいるんだけれど、ずっと高いところから書いた感じがすると。まわりの人たちは、「これは日本推理作家協会賞にノミネートされるんじゃないか」と言ってくれたんですけれど、私は「推理作家協会賞はそんなに甘くないんです」と言いつづけていました（笑）。でも、そしたら本当にノミネートしてもらえて、それも本当に嬉しかった。受賞はなりませんでしたが、私をまだミステリ作家として見ていてくれる人たちがいるんだ、と励まされました。推理作家協会賞は自分の好きな作家さんたちが受賞されてきた賞なので、私がこの先もミステリを書いていきたい原動力のひとつになっています。

綾辻　直木賞も本屋大賞も獲《と》ったんだし、もういいじゃないですか。欲張りだねえ（笑）。

そしてバトンはつながれる

編集部　すでにいくつかの新人賞の選考委員を務めていますね。

辻村　R‐18文学賞が最初（二〇一二年から）で、それに小説野性時代新人賞（二〇一五年から）、氷《ひ》室冴子《むろさえこ》青春文学賞（二〇一八年）、江戸川乱歩《えどがわらんぽ》賞（二〇一五年から二〇一八年）、そして綾辻さんとご一緒させてもらっている横溝正史ミステリ＆ホラー大賞（二〇一九年から）――。

綾辻　R‐18文学賞って、女性のための官能小説、みたいな賞じゃなかったっけ？

辻村　もともとはそうした面が強かったみたいなんですけど、私が選考委員をお受けしたあたりから、官能に限らず「女による女のための小説」を幅広い角度から募集していますね。私と三浦《みうら》しをんさんが選考を務めています。

綾辻　そういう変更があったのか。それにしても、たくさん引き受けていますね。

辻村　まだあります。今年（二〇二〇年）から松《まつ》本清張《もとせいちょう》賞と小学館ノンフィクション大賞の選考も。

綾辻　ノンフィクションまで？　幅が広いなあ。各賞の最終候補作を読むだけでも、けっこう大変でしょう。

辻村　大変ですね。でも、いろんなテーマから「賞の選考委員に」とご依頼があるのは、光栄で、嬉しさからついつい引き受けてしまうんです。結果、苦しいんですけど（笑）。

綾辻　横溝賞は、去年は残念ながら大賞が出ませんでしたね。あの選考会のとき、辻村さんはずいぶん緊張している様子だったけど?

辻村　けっこう場数は踏んできたつもりだったのに、当日の朝になって、「あ、今日、綾辻さんがいるんだ」と急に実感してきて……。綾辻さんに「ダサい読み方をするんだなあ」と思われたらどうしようと、お腹《なか》が痛くなりました(笑)。

綾辻　でも、べつに怖くなかったでしょう?

辻村　怖くなかったです。でも、今日だって、ちょっと緊張しています。綾辻さんと会うときだけ、私のキャラが乱されるんです。たぶん、まだ同業者と思えないせいですね。ファンである気持ちが変わらない。だから、他の選考会では自分の意見をはっきり言えるのに、綾辻さんの反応をまず見てしまった。

綾辻　やめてよ(笑)。もう対等の同業者なんだから。

辻村　横溝賞のときは、道尾さんが堂々と意見を述べているのを見て、「すごいなあ」と思いました。

綾辻　道尾さんは、文章に厳しいよね。

辻村　厳しいです。あと、道尾さんは選考後の選評の文章もすごくいいですよね。横溝賞は綾辻さんとご一緒できることに加えて、道尾さんと同期で選考できることもとても楽しいです。

綾辻　道尾さんにも辻村さんにも僕、早くから「いずれは選ぶ側にまわって、新しい才能をちゃんと見つけて引っ張り上げるんだよ」と言ってたよね。その甲斐《かい》がありました。新人賞の応募原稿って、最終候補に上がってきたものであっても玉石混交なんだけれど、その中で「これはもう、推《お》さずにはいられない」

みたいな、どうしても身体《からだ》が動いてしまう原稿ってあるでしょう？

辻村　はい。デビュー後の活躍にまで期待がふくらむような。

綾辻　そういう原稿と出会ったときの喜びは格別だし、その人がデビュー後に活躍してくれると、「バトンがつながっている」という実感が得られる。日本の推理小説界って、それこそ江戸川乱歩さんの昔から、先輩作家が後輩の新しい才能を積極的に引っ張り上げてきた歴史があります。才能のある後輩作家は即、自分のライバルにもなるわけだけど、有力な新人が次々に出てこなければジャンル自体が先細りしてしまう。森村誠一《もりむらせいいち》さんがかつて、推理小説界を「商店街」に喩えておられましたね。いろいろな店が新規出店して全体が賑《にぎ》わっていかないと、いずれその商店街にはお客さんが集まらなくなってしまう、と。そのとおりだと僕も思うんです。

辻村さんのように、綾辻作品から何らかの影響を受けた人が出てきてくれるのは、作家として最上の喜びなんですよ。いずれ自分は死ぬけれども、作品は残る。その作品や作品に含まれる遺伝子みたいなものが、どれだけ次の世代に受け継がれているか。それがこの仕事の、長い目で見た場合の〝勝ち負け〟なのだろう、というふうにも思います。

頼もしい後輩たちの出現

編集部　辻村さんは、ご自分の影響を感じるような応募作、新人作家と出会ったことは？

辻村　残念ながら、選考の場などではまだないのですね。私が綾辻さんに対するときくらいの

熱量で誰も接してきてくれない（笑）。

あ、だけど、そういえば、R－18文学賞から出てきた町田《まちだ》そのこさんは、応募作が叙述の仕掛けがある作品だったんです。本格ミステリを愛する私としては、ぜひこの人をと強い気持ちで推したんですが、ご本人に訊くと、ミステリの手法だと意識せずに使っていたみたい。

綾辻　叙述トリック、イコール本格ミステリ、じゃないからね。

辻村　けれど、その叙述上の仕掛けで驚かされたと同時に、主人公が過ごしてきた年月が一気にフラッシュバックして感動を生むものだったので、すごくいい作品であることは間違いありません。その後、町田さんは「ミステリーズ！」や「ミステリマガジン」でも書き始めたんです。私が選評とかでずいぶん「この作品にはミステリ的な仕掛けがある」云々《うんぬん》とアピールしたので、それを耳にしたミステリ畑の編集者さんが関心を持ってくれたに違いないと勝手に自負しています(笑)。

綾辻　確か『道徳の時間』で乱歩賞を受賞した呉勝浩《ごかつひろ》さんも、辻村さんが推したんですよね? 受賞後の活躍が目立ちますね、呉さん。

辻村　呉さんは頼もしいんですよ。先日、彼が誘ってくれて、私と呉さん、あと今村昌弘《いまむらまさひろ》さん(※『屍人荘《しじんそう》の殺人』で二〇一七年に鮎川哲也《あゆかわてつや》賞を受賞)とでご一緒する機会があったんですが、そこで二人が、「本格ミステリの新刊が出るとき、とにかく綾辻さんと有栖川《ありすがわ》(有栖《ありす》)さんから推薦文をもらって——とお二人に凭《もた》れるばかりじゃなくて、この先、自分たちがジャンルを支えていけるようになりたい」という話をしていて。

綾辻　へえぇ。まあ、確かにこのところ、本格ミステリ作品の推薦者といえば、有栖さんと僕が二枚看板みたいになってるものね。

辻村　お二人に推薦してもらうのは嬉しいけれど、ずっと頼りきりでいるのは不甲斐ないと思わなくちゃ、と気合いが入っているみたい。なんて熱い後輩たちなんだろうと、聞いていて感動したんです。

綾辻　うんうん、それは頼もしいなあ。

辻村　呉さんは私に遠慮がなくて、「特殊設定もなし、子供も登場させずにミステリを書いてくださいよ」とか、あっけらかんと要求してくる(笑)。「今村さんとか相沢沙呼《あいざわさこ》さんが『このミス』で1位になったり、本格ミステリ界で後輩が活躍してて、辻村さん、悔しくないんですか!」と。

綾辻　あれあれ(笑)。それはまた、ずいぶんな言われよう。

辻村　絡み酒ですが、嫌な気はしません。それに、ちゃんと私の作品を読んで、認めてくれた上なので、むしろそう期待してもらえるのはありがたい（笑）。ミステリ以外の場所での選考委員などが増えてきた中で、ミステリ作家の後輩が私を先輩だと思ってくれていることには感謝を覚えます。

綾辻　これからさらに活躍の幅が広がっていっても、辻村さんには「自分の足場は〝ミステリ作家であること〟にある」というアイデンティティを持ちつづけてほしいな。――と、これを綾辻行人の、辻村深月への遺言にしましょうか。

辻村　縁起でもない！　書きつづけることが恩返しになると信じて頑張ります。

（二〇二〇・二・二十五　於／京都鴨川倶楽部）

from 辻村深月

皆が楽しそうに口にする綾辻さんとの〝京都対談〟。羨ましくて、呼ばれた皆さんへの嫉妬に悶《もだ》えんばかりだったところに、今回お招きいただいて光栄に思います。

綾辻さんとは、憧れが過ぎて、デビュー時からつい最近に至るまで、まともに目を合わせてお話することすらできていなかった気がするので（本当です）、時を経て、ようやく心ゆくまでお話できるようになったタイミングでの今回は私にとってもありがたく、とても楽しかったです。

リラックスした雰囲気の中、だから、私はすっかり忘れておりました。ここが綾辻さんのお膝元・京都であることを。

対談の終了後、綾辻さんが鞄から取り出されたハガキの束……。私が高校生の時に、雑誌の企画を通じて綾辻さんにお送りしたファンレター百通でした。「ぎゃあああーー!!」と叫び、十代の自分の書いた文面との、二十年以上の時を経ての再会……。綾辻さんは紳士なので、同席した皆さんには文面は見せず、私にだけこっそり見せてくださったのですが、中の一枚に、こうありました。

「綾辻先生を知って、私のした決意。推理作家になる！」

王道のミステリを書かない私が今〝推理作家〟を名乗ることが許されるのだとしたら、それは間違いなく、綾辻さんのおかげです。ハガキの丸文字を眺めながら、改めて、〝京都対談〟への喜びを噛《か》み締めました。

怖いもの知らずの十七歳の送ったハガキを、きれいにとっておいてくださったことにも感謝いたします。対談、心よりありがとうございました。

⦿この対談で触れられていた書籍（登場順）

綾辻行人『Another』上下（角川文庫）
綾辻行人『十角館の殺人〈新装改訂版〉』（講談社文庫）
綾辻行人『迷路館の殺人〈新装改訂版〉』（講談社文庫）
辻村深月『冷たい校舎の時は止まる』上下（講談社文庫）
綾辻行人『暗黒館の殺人』全4巻（講談社文庫）
アガサ・クリスティー『そして誰もいなくなった』（青木久惠訳／早川書房・クリスティー文庫）
辻村深月『ぼくのメジャースプーン』（講談社文庫）
辻村深月『かがみの孤城』（ポプラ社）
呉　勝浩『道徳の時間』（講談社文庫）
今村昌弘『屍人荘の殺人』（創元推理文庫）

辻村深月（つじむら・みづき）

1980年、山梨県生まれ。千葉大学教育学部卒業。

2004年、『冷たい校舎の時は止まる』で第31回メフィスト賞を受賞し、作家デビュー。

いわゆる特殊設定を自家薬籠中のものにして心理描写に長ける。『ツナグ』（2011年）で
吉川英治文学新人賞を、『鍵のない夢を見る』（12年）で直木賞を受賞。

かつての少年少女と現在の少年少女に向けた『かがみの孤城』（18年）で本屋大賞に輝く。

2019年公開の映画『ドラえもん　のび太の月面探査記』で脚本を担当。

あとがき

このような対談集を上梓《じょうし》するのは『セッション――綾辻行人対談集』（集英社、一九九六年）以来になる。

『セッション』に収録された対談・鼎談《ていだん》のお相手は、ほぼ同世代あるいは自分より上の世代の同業者および異業者だった。そこから二十何年も時間が経《た》つと、当然ながら自分もそのぶん歳を取って、作家としてもヴェテランの部類に入ってきてしまい、本集では対談相手の全員が後輩作家で、前川裕さんを除く全員が自分よりひとまわり以上も若い、という並びになった（――そういうコンセプトの企画でもあったわけだが）。

「ジャーロ」での連載初回――詠坂雄二さんとの対談が二〇一四年一月、単行本のためにボーナストラックとして語り下ろした辻村深月さんとの対談が二〇二〇年二月、だった。東日本大震災の三年後からCOVID-19への危機感が激化する直前まで――という、いま振り返るとまだしも平穏な日々が続いていた数年間の、思い出の記録。そんな感がなきにしもあらず、である。

今回の書籍化にあたって、十本の対談を順番に読み返してみた。どんな話をしたのか、細部はすっかり忘れてしまっているものも少なくなくて、そのぶん面白かったり懐かしかったり、中には今となるとひどく恥ずかしく思えてしまうような自身の発言もあったり。せっかく京都まで来ていただいたのに、大したおもてなしもできなかったなあ、という反省にふと囚《とら》われたりもしたが、それでもみなさん、まずまず楽しんでくれていたようではあるので……うん、まあそんなに悪い企画ではなかったのだろうと考えたい。

作家・綾辻の本業的には、「京都対談」を不定期連載していた期間とだいたい重なる形で、長編『Another 2001』の連載をのろのろと続けていたことになる。二〇一四年の秋から五年以上かかって完結したこの作品も、この九月末にはようやく上梓できそうである。同時期に本書の刊行も実現する運びとなって、やはりなかなか感慨深いものがある。

収録された対談のお相手一人一人について、この場を借りて何かコメントを……とも考えたのだが、筆が滑ってつい、明かしてはならない「秘密」を書いてしまう恐れが大いにある。——ような気がするので、自粛。ここではみなさんに向けて「ありがとう」と、それから、たいへん月並みな言葉になるけれども「ますますのご健筆を」とだけ、記しておこう。「『これこそが自分の本格だ！』——というような、ものすごい本格ミステリの傑作を書いてね」——というような〝呪い〟めいた言葉はもう、書きますまい。書く必要もないだろう。

本来ならば本書の刊行に合わせて、共著者全員が集まってワイワイやりたいところなのだが、長びく疫禍のせいで当面はそれもむずかしそうな状況である。しかしそう、ゾンビ現象の蔓延《まんえん》という事態ではないのだから、いずれ何らかの形でトンネルを抜ける日も来るだろう。そのときには改めて、みんなで乾杯しましょう。もちろん、われわれを引き合わせてくれた「ミステリ」に——。

全九回の連載からボーナストラックの語り下ろしまで、「京都対談」の司会・構成はすべて佳多山大地《かたやまだいち》さんが受け持ってくださった。同じく、写真はすべて迫田真実《さこだまみ》さんが、毎回いろいろと工夫を凝らして撮影してくださった。——お二人に感謝。

そして、お世話になった光文社の編集者諸氏。思えばもう三十年来のおつきあいになる貴島潤さんと、連載開始から単行本化に至るまで面倒を見てくれた鈴木一人さんには、特に名を記してお礼を申し上げます。

二〇二〇年　夏

綾辻　行人

綾辻行人（あやつじ・ゆきと）

1960年、京都府生まれ。京都大学大学院教育学研究科博士後期課程修了。在学中は京都大学推理小説研究会に所属していた。大学院在学中の1987年、『十角館の殺人』で作家デビュー。新本格ムーヴメントの旗手として現代ミステリ界の第一線で活躍を続ける。『時計館の殺人』（1991年）で日本推理作家協会賞を獲得。数々のミステリ系文学賞の選考委員を歴任し、多くの有力新人を見出してきた。2019年、第22回日本ミステリー文学大賞を受賞。

司会・構成

佳多山大地（かたやま・だいち）

1972年、大阪府生まれ。学習院大学文学部卒業。
1994年、第1回創元推理評論賞に投じた「明智小五郎の黄昏」が佳作入選し、以後、各誌紙でミステリ評論家として活動を続ける。主な著書に、大学教育の場でミステリの愉しみを教授した講義録『謎解き名作ミステリ講座』（2011年）、新本格ムーヴメントの“中間決算”に挑んだ『新本格ミステリの話をしよう』（12年）、鉄道趣味を活かした『トラベル・ミステリー聖地巡礼』（19年）など。

すべての撮影

迫田真実（さこだ・まみ）

写真家。幼いころよりカメラに親しみ撮影した写真を母に褒められたことから、写真家を志す。大阪芸術大学芸術学部写真学科に進み在学中より雑誌のファッションページの撮影を担当。卒業後は大学の研究室を経て、フリーカメラマンをしながら大学や専門学校の非常勤講師として人物撮影に特化した講義を持つ。人物をより魅力的により重厚に撮影するため、日々多方面の芸術について勉強中。

⦿初出

Secret 1	×	詠坂雄二	「ジャーロ」50号（2014年4月）
Secret 2	×	宮内悠介	「ジャーロ」51号（2014年7月）
Secret 3	×	初野 晴	「ジャーロ」52号（2014年11月）
Secret 4	×	一 肇	「ジャーロ」54号（2015年6月）
Secret 5	×	葉真中 顕	「ジャーロ」55号（2015年11月）
Secret 6	×	前川 裕	「ジャーロ」57号（2016年6月）
Secret 7	×	白井智之	「ジャーロ」58号（2016年11月）
Secret 8	×	織守きょうや	「ジャーロ」63号（2018年3月）
Secret 9	×	道尾秀介	「ジャーロ」69号（2019年9月）
Secret 10	×	辻村深月	語り下ろし

⦿装幀・本文デザイン　坂野公一（welle design）

シークレット

綾《あや》辻《つじ》行《ゆき》人《と》ミステリ対《たい》談《だん》集《しゅう》in京《きょう》都《と》

2020年9月30日　初版1刷発行

著者　綾辻《あやつじ》行人《ゆきと》　詠坂《よみさか》雄二《ゆうじ》　宮内《みやうち》悠介《ゆうすけ》
初野《はつの》 晴《せい》　一《にのまえ》 肇《はじめ》　葉真中《はまなか》 顕《あき》　前川《まえかわ》 裕《ゆたか》
白井《しらい》智之《ともゆき》　織守《おりがみ》きょうや　道尾《みちお》秀介《しゅうすけ》
辻村《つじむら》深月《みづき》
構成　佳多山《かたやま》大地《だいち》
撮影　迫田《さこだ》真実《まみ》

発行者　鈴木広和
発行所　株式会社光文社
〒112-8011 東京都文京区音羽1-16-6
電話　編集部　03-5395-8254
書籍販売部　03-5395-8116
業務部　03-5395-8125
URL　光文社　http://www.kobunsha.com/
組版　萩原印刷
印刷所　萩原印刷
製本所　国宝社

ISBN978-4-334-95198-6

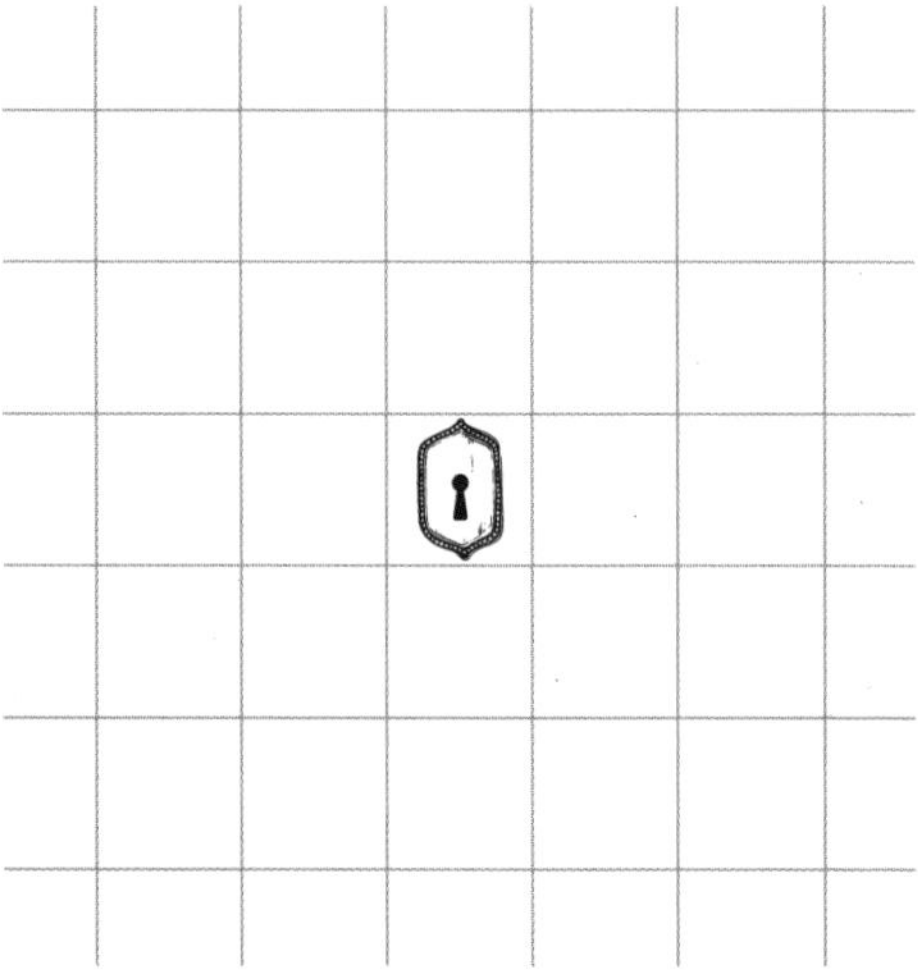